ES GEHT WEITER

EVERYDAY GERMAN BY RADIO

A booklet
for use with the broadcasts
by Richard Beckley
and Edith R. Baer

BRITISH BROADCASTING CORPORATION

*Acknowledgment is due to the following
for permission to reprint:*

UFATON VERLAGSGES. M.B.H., BERLIN–MÜNCHEN for 'Ich
bin von Kopf bis Fuß auf Liebe eingestellt', music and lyric
by Friedrich Hollaender; SUHRKAMP VERLAG, FRANK-
FURT/MAIN for the three verses from the 'Moritat' from
the *Threepenny Opera* by Bertolt Brecht and Kurt Weill;
EDITION ESPLANADE G.M.B.H., HAMBURG 13, for 'Wie
schön, daß du wieder zu Hause bist', music by Lotar Olias,
lyrics by Günter Loose; FRAU GERDA POPPER for the lyric
'Ich hab einen Schwips' by Walter Popper; INSEL-VERLAG,
FRANKFURT-AM-MAIN, for poem 'Der Werwolf' from *Alle
Galgenlieder* by Christian Morgenstern.

Published by the British Broadcasting Corporation
35 Marylebone High Street, London, W.1
Printed in England by Cox & Wyman Ltd, London, Reading and Fakenham
No. 5939/2

First broadcast February–July 1965 in the
Third Network and Home Service
repeated October 1965–February 1966
in the Third Network and Home Service

(for details please see *Radio Times*)

This series of 20 programmes is a continuation course to
'German for Beginners' and is intended for listeners who want
to improve their knowledge of everyday German. Many who
followed 'Komm mit!' on television may also find the programmes useful.

The broadcasts centre round the scenes in this booklet, which
are set against a background of life in Germany. The puzzles
at the end of the lessons are intended to help build up
vocabulary.

To get the maximum benefit from the course you should study
the lesson in the booklet first, then listen to the broadcast and
afterwards go over the lesson in the booklet again.

Contents

4

Signs and abbreviations

Vowel changes
The *vowel changes of strong and irregular verbs* are indicated in the vocabularies in brackets after the infinitive:

	present tense	past tense	past participle
sehen(ie, a, e):	s*ie*ht	s*a*h	ges*e*hen
bringen(–, a, a):	(no change)	br*a*chte	gebr*a*cht

Plural of nouns
The *plural of nouns* is indicated in brackets:

der Mann(⸚er)   plural: die Männer
das Fenster(–)   plural: die Fenster

Where a plural is rarely used it has been omitted. Nouns which have no plural are marked with *no pl.*

Stress
A *dot* under the vowel indicates that the vowel is stressed. Where there is no dot, the first syllable bears the stress.

Stroke
A *stroke* between prefix and verb means the verb is separable:

aus|gehen: ich gehe aus

Asterisk
An *asterisk* before the infinitive shows that the perfect and pluperfect tenses are formed with *sein:*

* kommen: ich bin gekommen

Abbreviations

acc.	accusative	M	masculine
Austr.	Austrian	N	neuter
dat.	dative	nom.	nominative
F	feminine	pl.	plural
gen.	genitive	w.	weak noun

1 | Gisela Förster und die Reinmachefrau, Frau Bitterich

Gisela: Guten Morgen, Frau Bitterich. Es ist schon zehn Uhr. Warum kommen Sie heute so spät?

Bitterich: Ach, Frau Förster, entschuldigen Sie bitte! Bei mir zu Hause geht immer etwas schief.

05 G: Was ist denn los?

B: Mein Junge hat nur Unsinn im Kopf.

G: Was hat Ihr Joachim denn gemacht?

B: Fragen Sie lieber nicht! Sie kennen doch die Jugend von heute.

G: Na, erzählen Sie mal!

10 B: Ach, wissen Sie, mein Mann hat dem Jungen verboten, Motorrad zu fahren. Er kann dem Jungen sagen, was er will, aber es hilft nichts: Joachim fährt Motorrad. Denken Sie mal, er ist heute morgen um sieben . . . Ach, ich will es Ihnen lieber später erzählen. Sie wollen sicher ausgehen.

15 G: Ich will Ihnen zuerst beim Aufräumen helfen.

B: Ich werde gleich an die Arbeit gehen. Arbeit hält jung. Aber die jungen Leute denken heute ganz anders. Sie wollen überhaupt nicht arbeiten. Viel Geld verdienen, viel Geld ausgeben – sonst haben sie nichts im Kopf. Das geht noch einmal schief.

20 G: Aber Frau Bitterich, Sie sehen zu schwarz! So ernst darf man die Jugend nicht nehmen.

B: Vielleicht haben Sie recht. Aber mein Joachim macht mir Sorgen. Jede Woche ist etwas los mit ihm. Einmal sind es die Mädchen, dann ist es die Arbeit und jetzt das Motorrad. Nächste Woche haben wir Fasching.
25 Dann wird überhaupt der Teufel los sein . . . Also, ich werde mal in der Küche anfangen. Da steht noch das Geschirr von gestern, Frau Förster!

G: Ja. Wir haben gestern abend Besuch gehabt, und ich habe noch keine Zeit zum Aufräumen gehabt. Ich will Ihnen etwas sagen. Ich spüle das Geschirr, und Sie machen schnell die Wohnung sauber, denn wir erwarten
30 heute abend wieder Besuch – einen Geschäftsfreund meines Mannes.

B: Da muß natürlich alles schön in Ordnung sein, nicht wahr, Frau Förster? Aber sehen Sie mal, es ist gar nicht sehr staubig. Soll ich Ihnen nicht zuerst beim Spülen helfen und dann den Tisch für heute abend decken? Der Besuch ist bestimmt sehr wichtig für Ihren Mann. Sehen Sie, Ihr
35 Mann ist auch noch jung, aber er nimmt das Leben ernst.

G: Oft nimmt er das Leben sogar zu ernst. Er denkt viel zu viel an die Arbeit und viel zu wenig ans Vergnügen. Er hat gerade seine Stelle gewechselt.

B: Wie schön für Sie! Da wird Ihr Mann bestimmt mehr Geld verdienen.

G: Leider nicht. Aber die Aussichten sind sehr gut. Deshalb arbeitet er so
40 viel.

B: Ach, nächste Woche ist Fasching. Da wird er die Arbeit vergessen.

G: Ja, hoffentlich. Ich möchte so gern auf einen Maskenball gehen, aber mein Mann hat keine Lust. Er findet es so lächerlich, ein Kostüm zu tragen. Er bleibt lieber zu Hause.

B: Frau Förster, es ist nur einmal im Jahr Fasching. Da muß man ausgehen.
05 Sie sind beide jung und ... Es hat geklingelt. Wer kann das sein? Erwarten Sie Besuch?

G: Nein.

B: Ach, du lieber Himmel! Hoffentlich ist es nicht mein Joachim.

G: Frau Bitterich, warum soll denn Ihr Junge gerade zu uns kommen?

10 **B:** Sie kennen meinen Jungen nicht. Vielleicht braucht er wieder Geld. Sein Vater gibt ihm keinen Pfennig. Dann kommt er zu mir, und ich muß es ihm geben, sonst ...

G: Wollen Sie die Tür nicht aufmachen?

B: Ich gehe schon. Dem Jungen werde ich etwas erzählen.

15 *Briefträger:* Post!

B: Frau Förster, es ist nur die Post. Ein Brief für Sie.

G: Danke schön. Was? Schon wieder eine Rechnung? Ach nein! Es ist keine Rechnung. Es ist eine Einladung – eine Einladung zum Maskenball im Rathaus. Ist das nicht wunderbar?

20 **B:** Herrlich, Frau Förster! Wollen Sie in einem Kostüm oder im Abendkleid gehen?

G: Im Abendkleid? Nein – für diesen Maskenball muß ich ein Kostüm haben. Aber so etwas ist immer sehr teuer, und ich will nicht so viel Geld ausgeben. Was soll ich machen? Ach, ich kaufe Stoff.

25 **B:** Und wer näht Ihnen denn das Kostümchen?

G: Frau Bitterich – Sie können so gut nähen. Wollen Sie mir nicht helfen?

B: Ja, gern. Aber dann werde ich nicht viel Zeit haben, die Wohnung sauber zu machen.

G: Das macht nichts. Können Sie vielleicht auch ein Kostüm für meinen
30 Mann nähen?

B: Du lieber Himmel, ein Kostüm für Ihren Mann! Wird er es denn anziehen?

G: Ich weiß nicht. Er geht lieber im Smoking. Aber so kann man doch nicht auf einen Maskenball gehen.

B: Ihr Mann wird nicht anders sein als mein Mann. Drei Gläschen Wein
35 – dann hat er einen Schwips, und es ist ihm ganz gleich, was er trägt.

G: Ich glaube, Sie haben recht. Können Sie die Wohnung ohne mich aufräumen? Ich will schnell Stoff für die Kostüme besorgen. Ich werde nicht lange bleiben.

B: Fort ist sie! Jetzt muß ich die Wohnung ohne Frau Förster aufräumen.
40 Dann soll ich ihr beim Nähen helfen, und zu Hause sitzt meine Familie und will zu Mittag essen. Wie soll ich das alles machen?

das Abendkleid(–er)	evening dress
auf‖räumen	to tidy up
aus‖geben(i, a, e)	to spend (money)
der Fasching	carnival
das Geschirr	crockery
klingeln	to ring
lächerlich	ridiculous

8

der Maskenball(¨e)	fancy-dress ball
das Motorrad(¨er)	motorcycle
nähen	to sew
die Rein(e)machefrau(–en)	charwoman
sauber	clean
der Smoking(–s)	dinner jacket
spülen	to wash up
staubig	dusty
der Teufel(–)	devil
der Unsinn(*no pl.*)	nonsense
verboten	forbidden
verdienen	**to earn**

(zu) spät kommen	to be late
etwas geht schief	something goes wrong
Was ist los?	What is the matter?
an die Arbeit gehen	to get down to work
noch einmal	once again, one of these days
schwarz sehen	to be pessimistic
man darf nicht ...	one must not ...
der Teufel ist los	hell is let loose
Besuch haben	to have visitors
nicht wahr?	isn't that so?
ich möchte gern ...	I should like ...
Lust haben(zu + *inf.*)	to feel like (doing something)
du lieber Himmel!	good heavens!
so etwas	that sort of thing
das macht nichts	it doesn't matter, never mind
einen Schwips haben	to be tipsy
es ist (mir) ganz gleich	it is all the same (to me)
zu Hause	at home
zu Mittag essen	to have lunch

Sprichwort

Einmal ist keinmal.	*Once does not count.*

werden The present tense of *werden* (to become) + infinitive is used to form the future tense:

- Ich *werde* sie nächste Woche *besuchen.*
  I shall visit her next week.

- *Wird* er den Brief morgen *bekommen?*
  Will he get the letter tomorrow?

word order: In a simple sentence the infinitive stands at the end.

Difference between werden and wollen Where English 'will' simply expresses future action, *werden* + infinitive is used:

- Er wird nach Hamburg fahren.
  He will be going to Hamburg.

But when 'will' means 'to want to, to be willing to' or 'to intend', *wollen* + infinitive is used:

- Wollen Sie es tun?
  Will you (Are you willing to) do it?
- Er will nichts davon hören.
  He will not hear of it.

Past participles of weak verbs

The past participle of most weak verbs, i.e. verbs without a vowel change, is made up of: *ge* + stem of verb + *t* (or *et*)

infinitive: haben   machen   arbeiten
past participle: ge-hab-t   ge-mach-t   ge-arbeit-et

word order: In a simple sentence the past participle stands at the end:

- Er hat seine Stelle gewechselt.
  He has changed his job.
- Ich habe noch keine Zeit gehabt.
  I haven't had time yet.

mal

mal, short for *einmal*, is frequently heard in colloquial speech. It means 'once, at some time, one day':

- Wir werden ihn mal (einmal) besuchen.
  We shall visit him one day.

mal is also used as a filling-in word, similar to English 'just'. It is often added to short statements or commands to lessen their abruptness:

- Denken Sie mal!
  Just think.
- Sehen Sie mal!
  Just look. (Look here.)

Exercises

(a) Complete these sentences by using the right verb - *werden* or *wollen*:
1. Sie . . . keine Zeit haben, die Wohnung sauber zu machen.
2. Die jungen Leute von heute . . . nicht arbeiten.
3. Was für Wetter . . . morgen sein?
4. Ich möchte ins Kino gehen, aber mein Mann . . . nicht.

(b) Put these words into the right order:
1. Gehabt wir Glück haben.
2. Sie kommen wird wann?
3. Wechseln Stelle will seine er.
4. Das werde spülen ich Geschirr.

2 | Helmut und Gisela beim Katerfrühstück

Gisela: War es nicht herrlich gestern, Helmut?
Helmut: Was war herrlich?
G: Der Ball!
H: Ja.
05 G: Warum sagst du so wenig? Du ißt ja nichts. Schmeckt dir das Frühstück nicht? Was ist los mit dir?
H: Ich habe keine Lust zu frühstücken, Gisela.
G: Du bist so schlechter Laune. Hast du nicht gut geschlafen?
H: Doch. Sag mal, wann sind wir denn nach Hause gekommen?
10 G: Es war ungefähr vier Uhr.
H: Vier Uhr? Das war ja sehr spät.
G: Was hast du denn heute morgen?
H: Ich habe schreckliche Kopfschmerzen. Ich weiß gar nicht warum.
G: Du hast auf dem Ball zuviel getrunken.
15 H: Zuviel getrunken? Zwei, drei Gläschen. Das war alles. Davon bekommt man keine Kopfschmerzen.
G: Du hast einen Kater. Sieh mal, ich habe saure Heringe für dich auf den Tisch gestellt. Saure Heringe und schwarzer Kaffee sind das beste Mittel gegen den Kater. Du warst ja ganz beschwipst.
20 H: Ich war beschwipst? Ausgeschlossen! Du hast mich überhaupt nicht gesehen. Du hast bis Mitternacht mit dem Mann im Teufelskostüm getanzt. Ich wurde ganz eifersüchtig.
G: Und du hast mit der Dame in Schwarz getanzt. Sie war als Spanierin verkleidet. Stimmt's?
25 H: Ja.
G: Dann hast du in einer Ecke mit ihr gesessen und hast eine Flasche Sekt nach der andern getrunken.
H: Wir haben nur eine Flasche zusammen getrunken. Du warst eifersüchtig.
G: Natürlich war ich eifersüchtig. Du hast sie sogar geküßt.
30 H: Ach was! Einmal ist keinmal!
G: War sie eine Freundin von dir?
H: Nein. Ich weiß nicht, wer sie war. Sie wollte mir ihren Namen nicht sagen. Aber sie war reizend. Ich muß sagen, ich gehe gern auf einen Maskenball. Man kann tanzen, mit wem man will.
35 G: Helmut, seit wann macht dir ein Maskenball Spaß?
H: Du weißt doch, ich tanze gern, aber ich gehe lieber im Smoking. Mein Kostüm war übrigens sehr unbequem. Wer hat es denn gemacht?
G: Frau Bitterich, unsere Reinmachefrau. Aber bitte sag nichts zu ihr. Sonst ist sie beleidigt und kommt nicht mehr zu uns.

11

H: Hat sie dein Kostüm auch genäht?

G: Ja. Es war doch hübsch, nicht wahr?

H: Ich muß sagen, es hat dir sehr gut gestanden. Du warst reizend als Zigeunerin. Aber als Gestiefelter Kater gehe ich bestimmt nicht wieder. Die Stiefel waren so unbequem, und der Schnurrbart kitzelte mich.

G: Aber der Ball war doch sehr schön, nicht wahr? Es gab viel zu essen und zu trinken. Das Kabarett war amüsant, und die Rede des Faschingsprinzen war ausgezeichnet.

H: Der Faschingsprinz hat keine Rede gehalten.

G: Siehst du, du warst beschwipst. Du hast nicht einmal seine Rede gehört. Sie wird bestimmt in der Zeitung stehen.

H: Laß mal sehen! Auf dieser Seite steht etwas über einen Diebstahl: „100 000 Mark in der Nacht zum Dienstag gestohlen." Interessiert dich das?

G: Nein. Diebstahl interessiert mich nicht.

H: Einen Augenblick. Hier steht etwas über den Fasching: „Gestern mittag um zwölf Uhr begann der Umzug. Tausende von Menschen waren auf den Straßen. Viele waren als Narren verkleidet und trugen Faschingskostüme. Sie warfen Luftschlangen und Konfetti auf die Wagen. Auf dem Marktplatz tanzten junge Leute Twist . . .", und so weiter, und so weiter.

G: Da war ja gestern viel in der Stadt los. Steht nicht auch etwas über den Maskenball in der Zeitung?

H: Ich kann nichts finden.

G: Gib mir mal die Zeitung!

H: Bitte schön, Frau Förster.

G: Du hast die Zeitung nicht richtig gelesen. Sieh mal, was hier steht: „Der Faschingsball im Rathaus." Und weiter unten steht: „Die Rede des Faschingsprinzen fand großen Beifall und . . ."

H: Die Rede des Faschingsprinzen!

G: Glaubst du mir jetzt? . . . Wer telefoniert so früh?

H: Ich gehe ans Telefon. Es wird sicher für mich sein . . . Förster.

Schmitthenner: Wachtmeister Schmitthenner.

H: Wer ist am Apparat?

S: Polizeiwachtmeister Schmitthenner. Kommen Sie bitte sofort in die Fabrik!

H: Ich frühstücke im Augenblick. Ich werde um neun Uhr wie immer dort sein.

S: Ich muß Sie bitten, sofort zu kommen. Es waren Einbrecher in der Fabrik.

H: Wie bitte? Einbrecher?

S: Ja. Sie haben 100 000 Mark gestohlen.

H: Das stand ja in der Zeitung . . . Ich komme sofort.

G: Helmut, warum bist du so aufgeregt? Wer war das?

H: Die Polizei. Gib mir noch eine Tasse schwarzen Kaffee! Ich muß sofort gehen. Es waren Einbrecher in der Fabrik.

ausgeschlossen	out of the question
der Beifall(*no pl.*)	applause
beleidigt	offended
beschwipst	tipsy
der Diebstahl(∸e)	theft
gegen	against
der Kater(–)	tom-cat, hangover
kitzeln	to tickle
die Kopfschmerzen(*pl.*)	headache
küssen	to kiss
die Luftschlange(–n)	paper streamer
das Mittel(–)	remedy
der Narr(–en *w.*)	fool
der Schnurrbart(∸e)	moustache, cat's whiskers
der Sekt	German champagne
stehlen(ie, a, o)	to steal
der Stiefel(–)	boot
tanzen	to dance
der Umzug(∸e)	procession
unbequem	uncomfortable
verkleidet	disguised
werfen(i, a, o)	to throw

schlechter Laune sein	to be in a bad mood
nach Hause	home
Was hast du (haben Sie)?	What is wrong with you?
saure Heringe	pickled herrings
Stimmt's?	Isn't that right?
ach was!	nonsense!
es macht mir Spaß	I enjoy it, I think it's fun
es steht mir	it suits me
Gestiefelter Kater	Puss-in-Boots
es gab	there was
eine Rede halten	to make a speech
nicht einmal	not even
es steht	it says (in paper, book, etc.)
einen Augenblick!	just a moment!
und so weiter (usw.)	and so on (etc.)
Wer ist am Apparat?	Who is speaking?

Past tense *Weak verbs* (i.e. with no vowel change) add the following endings to the stem:

sagen – to say

ich sag*te*	I said
du sag*test*	you said
er, sie, es sag*te*	he, she, it said
wir sag*ten*	we said
ihr sag*tet*	you said
Sie, sie sag*ten*	you, they said

13

Strong verbs (i.e. with vowel change) add the following endings:

geben – to give

ich gab	I gave
du gab*st*	you gave
er, sie, es gab	he, she, it gave
wir gab*en*	we gave
ihr gab*t*	you gave
Sie, sie gab*en*	you, they gave

Note:

sein – to be   ich *war*, du *warst*, er *war*, etc.

werden – to become   ich *wurde*, du *wurdest*, er *wurde*, etc.

(Vowel changes are indicated in brackets in the vocabularies. A list of strong verbs occurring in the lessons will be found at the back of the booklet.)

Past participles of strong verbs

Most strong verbs form the past participle by adding the prefix *ge–* and the ending *–en*. They often have a vowel and consonant change:

infinitive:	geben	stehlen	stehen
past participle:	ge-geb-en	ge-stohl-en	ge-stand-en

- Sie haben uns das Geld noch nicht gegeben.
  They haven't given us the money yet.
- Er hat nichts gestohlen.
  He hasn't stolen anything.

Adjectives before nouns

Adjectives before nouns without an article or equivalent word have the same endings as *dieser*, except in the genitive singular masculine and neuter:

		M	F	N
singular	nom:	schwarzer Kaffee	gute Laune	kaltes Wasser
	acc:	–en Kaffee	–e Laune	–es Wasser
	gen:	*–en* Kaffees	–er Laune	*–en* Wassers
	dat:	–em Kaffee	–er Laune	–em Wasser
plural	nom:	schöne Hüte	Damen	Kleider
	acc:	–e Hüte	Damen	Kleider
	gen:	–er Hüte	Damen	Kleider
	dat:	–en Hüten	Damen	Kleidern

Feminine nouns ending in -*in* The ending *-in* (pl. *-innen*) is added to some masculine nouns to form the feminine equivalent:

- der Freund (friend)
  die Freundin (girl friend)
- der Spanier (Spaniard)
  die Spanierin (Spanish woman)
- der Zigeuner (gipsy)
  die Zigeunerin (gipsy girl)

Difference between *ja* and *doch* Both can mean 'yes': *ja* is the usual reply when agreeing with someone; *doch* is used when contradicting someone:

- Ist sie nicht zu Hause? ⎫
  Sie ist nicht zu Hause. ⎭ Doch. (Yes, she is.)

Both are often used in conversation for emphasis: *ja* is roughly equivalent to 'you know, you see'; *doch* conveys a note of doubt or protest:

- Er hat ja kein Telefon.
  He hasn't a telephone, you know.
- Sie sind doch jung.
  (But) you are young.

Fasching In most parts of Germany the week before Lent is given over to general merrymaking. In Southern Germany this is known as *Fasching* and in the Rhineland as *Karneval*. Nowadays these carnival celebrations take the form of fancy-dress balls, dancing and singing in the streets, and processions with floats and *Pappköpfen* (huge papier-mâché heads) caricaturing political and local figures. Cologne and Mainz are especially noted for their carnivals which culminate in the processions held on *Rosenmontag* (the Monday before Lent).

Exercises (*a*) Answer in German:
1. Als was war Helmut verkleidet?
2. Mit wem tanzte Gisela?
3. Was ist das beste Mittel gegen den Kater?
4. Um wieviel Uhr begann der Umzug?

(*b*) Put into the past tense:
1. Ihr Kostüm gefällt mir gut.
2. Die jungen Leute tanzen und trinken bis Mitternacht.
3. Die Wohnung ist nicht staubig.
4. Wir bleiben zu Hause, denn es regnet.

15

Zungenbrecher (tongue-twister)

Fischers Fritz fängt frische Fische.

How to separate syllables
Where possible a syllable should start with a consonant:

- ge–ben   Ka–ter   nä–hen

Two consonants, including double consonants, are divided:

- tan–zen   Män–ner   Stel–le

st, *ch*, *sch* are treated as one consonant:

- er–ste   rei–che   hüb–sche

ck changes to k–k:

- Zuk–ker   Ek–ke

Compound words, including words with prefixes, diminutives, etc., are divided according to their component parts:

- Ball–kleid   ge–stan–den   Ko–stüm–chen

Silbenrätsel (syllable puzzle)

1..
2..
3..
4..
5..
6..
7..
8..
9..
10..
11..
12..
13..

Give the answer in German by making up words with these syllables: ar – be – bei – beln – chen – chro – ein – end – gen – gen – la – last – li – lich – mal – nisch – pa – re – ren – rie – se – stei – tas – tau – ten – ten – um – wa – war – zei – zwie

The 1st and 4th letters when read down form a German proverb. (*ch* counts as one letter.)

1. to wait 2. at last 3. to mend 4. sign 5. to change trains 6. a colour 7. once 8. bird of peace 9. tripe and . . . 10. a piece of crockery 11. a vehicle 12. to work 13. opposite of 'acute'

3 | **Helmut fährt schnell in die Fabrik**

Helmut: Die Straßenbahn Nummer 8 kommt heute wohl überhaupt nicht?
Mann: Sie wird schon kommen.
H: Heute ist Fastnachtsdienstag. Der Straßenbahnschaffner hat vielleicht verschlafen.
05 M: Wie können Sie so etwas sagen! Unsere Straßenbahnen kommen immer pünktlich – alle zehn Minuten.

H: Ja, so steht es im Fahrplan.

M: Wahrscheinlich ist der Fahrplan geändert worden. Warten Sie schon lange?

H: Über eine Viertelstunde.

05 M: Sie haben es wohl sehr eilig heute morgen. Sehen Sie, da kommt ein Taxi. Nehmen Sie es doch!

H: Gute Idee. Taxi! Taxi!

Taxichauffeur: Wohin wollen Sie?

H: Zur Maschinenfabrik. Fahren Sie so schnell wie möglich!

10 T: Schneller als 50 Kilometer in der Stunde darf man in der Stadt nicht fahren. Wissen Sie das nicht? Wo ist denn Ihre Fabrik?

H: In der Zeppelinstraße. Fahren Sie durch die Kaiserstraße und dann geradeaus.

T: In der Kaiserstraße wird gebaut, und der Verkehr wird umgeleitet.

15 H: Ach, da müssen wir einen Umweg machen.

T: Stimmt. Warum haben Sie es denn so eilig? Um diese Zeit arbeitet noch kein Mensch in den Fabriken.

H: In unserer Fabrik ist eingebrochen worden.

T: Eingebrochen? Sehr merkwürdig!

20 H: Warum finden Sie das so merkwürdig?

T: Sehr merkwürdig. Gestern nacht ist anscheinend viel gestohlen worden. So, das ist wohl Ihre Fabrik. Da stehen schon die Polizeiwagen.

H: Wieviel bin ich Ihnen schuldig?

T: Vier Mark achtzig, bitte.

25 H: Hier sind fünf Mark. Es stimmt so.

T: Vielen Dank. Wiedersehen. Hoffentlich fangen Sie den Dieb!

* * *

H: Guten Morgen, Fräulein Seifert.

Seifert: Guten Morgen, Herr Förster. Was sagen Sie zu dem Einbruch? Schrecklich, nicht wahr?

30 H: Ja, schrecklich.

S: Denken Sie, der Herr Direktor wurde heute morgen um sechs Uhr von der Polizei angerufen. Anscheinend wurde ein Nachbar durch den Lärm geweckt, und er rief sofort die Polizei.

H: Ist der Herr Direktor schon da?

35 S: Der Herr Direktor wartet auf Sie. Er ist schon ganz ungeduldig. Ich werde sofort seine Sekretärin anrufen ... Hallo, Fräulein Krause. Hier Irmgard Seifert. Herr Förster ist da. Die Polizei will ihn sprechen? Gut. Ich werde es ihm sagen. Danke schön, Fräulein Krause ... Herr Förster, der Herr Direktor erwartet Sie in seinem Zimmer.

* * *

40 *Stimme:* Bitte kommen Sie herein.

H: Guten Morgen.

Stimmen: Guten Morgen.

Direktor: Darf ich vorstellen – Herr Förster, der Leiter unserer Exportabteilung. Herr Förster arbeitet seit einem Monat bei uns.

R—B

Polizeiinspektor: Polizeiinspektor Kaulbach. Mein Kollege, Wachtmeister Schmitthenner. Entschuldigen Sie bitte, Herr Förster, aber wir müssen jeden in der Fabrik verhören. Sie wissen ja, gestern nacht wurde hier eingebrochen. 100 000 Mark wurden gestohlen.

05 H: Ja, das habe ich in der Zeitung gelesen.

P: In der Nähe der Fabrik wurde ein Motorrad gefunden. Wissen Sie sonst etwas über den Einbruch?

H: Nein, nichts.

P: Wo waren Sie gestern nacht?

10 H: Ich war auf einem Maskenball.

P: So. Auf welchem Maskenball?

H: Im Rathaus.

P: Wie lange blieben Sie dort?

H: Bis ungefähr vier Uhr.

15 P: Wo wohnen Sie?

H: Potsdamer Platz 5.

P: Wie fuhren Sie nach Hause?

H: Hm. Die Hauptstraße.

P: Herr Förster, die Hauptstraße führt nicht zum Potsdamer Platz. Auf
20 welchem Weg fuhren Sie nach Hause? Bitte sagen Sie es mir genau!

H: Das kann ich leider nicht.

P: So. Warum nicht?

H: Es war sehr dunkel.

P: Um vier Uhr brennen die Straßenlampen noch. Fuhren Sie mit dem
25 Taxi?

H: Ich glaube, wir wurden von Freunden nach Hause gefahren.

P: Sie glauben – aber Sie wissen es nicht genau. Sehr merkwürdig.

D: Entschuldigen Sie! Darf ich Sie einen Augenblick unterbrechen?

P: Bitte schön, Herr Direktor.

30 D: Meine Tochter und ich waren auch auf dem Maskenball. Es wurde
ziemlich viel getrunken. Sie verstehen schon, nicht wahr?

P: Natürlich, natürlich. Ich verstehe, was Sie meinen. Mit wem waren Sie
auf dem Ball, Herr Förster?

H: Mit meiner Frau.

35 P: Ihre Frau kann also Ihre Aussage bestätigen?

H: Selbstverständlich. Anscheinend ist während der Nacht viel eingebrochen
worden ...

P: So? Woher wissen Sie das?

die Abteilung(–en)	department
ändern	to alter
anscheinend	apparently
die Aussage(–n)	statement, evidence
bauen	to build
bestätigen	to confirm
brennen(–, a, a)	to burn
der Dieb(–e)	thief
ein|brechen(i, a, o)	to break in
der Einbruch(¨e)	burglary, housebreaking
der Fahrplan(¨e)	time-table
fangen(ä, i, a)	to catch
der Fastnachtsdienstag	Shrove Tuesday
der Leiter(–)	head, manager
merkwürdig	strange, peculiar
möglich	possible
der Straßenbahnschaffner(–)	tram conductor
um|leiten	to divert
der Umweg(–e)	detour
ungeduldig	impatient
unterbrechen(i, a, o)	to interrupt
verhören	to question, interrogate

ich habe verschlafen	I overslept
alle zehn Minuten	every ten minutes
ich habe es eilig	I am in a hurry
Wohin wollen Sie?	Where do you want to go (to)?
Wieviel bin ich Ihnen schuldig?	How much do I owe you?
es stimmt so	that's all right (i.e. keep the change)
Kommen Sie herein!	Come in!
Woher wissen Sie das?	How do you know that?

Sprichwort

Gelegenheit macht Diebe.   *Opportunity makes thieves.*

Past participles of separable verbs

Separable verbs (marked with a stroke through them in the vocabularies) form the past participle by putting the separable prefix before *ge–*:

	Infinitive	Past participle
weak	ab|holen	ab–geholt
	um|leiten	um–geleitet
strong	an|rufen	an–gerufen
	ein|brechen	ein–gebrochen

The passive

The passive is formed with *werden* (to become) + past participle:

present tense •   Ich werde um sieben Uhr abgeholt.
l am being fetched at 7 o'clock.

19

- Der Fahrplan wird geändert.
  The timetable is being changed.

past tense
- Ein Motorrad wurde gefunden.
  A motorcycle was found.
- Wir wurden sehr früh geweckt.
  We were woken very early.

In the passive the past participle of *werden* is *worden;* it is used with *sein*:

perfect tense
- Der Fahrplan ist geändert worden.
  The timetable has been changed.
- Der Dieb ist gefangen worden.
  The thief has been caught.

von + dative introduces the person responsible for the action:
- Ein Motorrad wurde *von* der Polizei gefunden.
  A motorcycle was found by the police.

durch + accusative is used if the action is caused by a thing:
- Wir wurden *durch* den Lärm geweckt.
  We were woken by the noise.

word order:
In a simple sentence the past participle stands last; *worden* stands last of all:
- Ich werde um sieben Uhr *abgeholt.*
  I am being fetched at 7 o'clock.
- Ich bin um sieben Uhr abgeholt *worden.*
  I was fetched at 7 o'clock.

The passive is often used impersonally with *es*:
- Es wird getanzt.
  People are dancing. (There is dancing.)
- Es wurde viel getrunken.
  People drank a lot.

But *es* is dropped when the sentence begins with another word, and in questions:
- Heute wird getanzt.
  There is dancing today.
- Wurde in der Fabrik eingebrochen?
  Was the factory broken into?

wohl
wohl (well) is often used as a filling-in word. It indicates that the speaker thinks something is probable or likely:
- Das ist wohl möglich.
  That may be.
- Sie haben es wohl eilig.
  I expect you are in a hurry.

20

schon

schon normally means 'already':

- Ich habe die Zeitung schon gelesen.
  I have already read the paper.

  But it is used much more frequently than 'already' in English, mostly for the sake of emphasis:

- Ich komme schon.
  I am on my way.
- Warten Sie schon lange?
  Have you been waiting long?
- Es regnet schon wieder.
  It is raining again.

so

so (so, such, like that) by itself often has the meaning of 'there you are':

- So, das ist mein Haus.
  There you are. That's my house.

  It may also be an expression of amazement:

- So. Sie waren gestern abend im Kino.
  I see. You were in the cinema last night.
- So! Sie wissen nichts davon.
  Oh really! You don't know anything about it.

Difference between warten and erwarten

warten means 'to wait':

Bitte warten Sie einen Augenblick!
Please wait a moment.

warten auf + acc. means 'to wait for':

- Ich warte auf die Straßenbahn.
  I am waiting for the tram.

erwarten means 'to expect':

- Wir erwarten Sie um sieben Uhr.
  We expect you at 7 o'clock.

Exercise

Turn into the passive:

1. Mein Mann hat diesen Brief geschrieben.
2. Seine Freunde fuhren ihn nach Hause.
3. Der Polizeiwachtmeister hat den Dieb gefangen.
4. Hier tanzt und trinkt man.
5. Die Polizei verhört die Sekretärin.

Kreuzworträtsel (crossword puzzle)

22. The first man (4)
24. Hot drink (3)
25. Back to ... (5)
27. Gladly (4)
28. A planet (4)
29. Deaf and ... (5)
30. Do! (to a close friend) (2)

DOWN

1. and 20 down: He has (2, 3)
2. To advise (5)
3. To or too (2)
4. Opposite of 'low' (4)
5. River near Koblenz (4)
6. Isaac (5, 5)
7. Three times three (4)
8. Thoughts (8)
10. Oh really! (2)
12. Preposition (2)
13. Was (3)
14. Gardens (6)
16. Dative of *der* (3)
18. Army rank (6)
20. see 1 down
21. It is often followed by *nicht* (3)
23. Not intelligent (4)
26. Opposite of 'young' (3)
27. Gave (3)

ACROSS

1. To narrate (8)
8. Grey (4)
9. Green spots in the desert (5)
10. Show (5)
11. It consists of a number of rooms (3, 7)
15. Girl's name (4)
17. In front of (3)
19. It gives milk (3)
21. Past participle of 'to have' (6)

4 | Helmut und seine Sekretärin, Fräulein Seifert

Seifert: Sie fahren nach Hamburg, Herr Förster? Das ist ja herrlich für Sie. Dann können Sie ein paar Tage ausspannen.

Helmut: Ausspannen? Liebes Fräulein Seifert, ich muß geschäftlich nach Hamburg.

05 S: Stimmt es, daß Sie wegen des Einbruchs verreisen?

H: Wie kommen Sie auf so eine Idee? Meine Reise hat nichts mit dem Einbruch zu tun. Ich fahre nach Hamburg, weil ich den Herrn Direktor dort vertreten muß.

S: Ach so. Denken Sie mal, ich bin auch von der Polizei verhört worden.
10 Aber ich habe nichts von dem Kassenschrankschlüssel gesagt.

H: Das war auch nicht nötig. Man hat noch nicht herausgefunden, wie das Geld aus dem Kassenschrank gestohlen wurde.

S: Ich bin ja so neugierig...

H: Neugierig?

S: Ich bin so neugierig, wie das ausgeht.

H: Wie was ausgeht?

S: Die Sache mit dem Einbruch. So etwas passiert nicht jeden Tag.

H: Ich kann das leider nicht so interessant finden wie Sie. Es ist sehr unan-
05   genehm für uns alle, sehr unangenehm. Ich bin froh, daß ich in den
nächsten Tagen nichts mehr davon hören werde. Übrigens, haben Sie
schon einen Platz für mich gebucht?

S: Nein, noch nicht.

H: Warum nicht? Sie wissen doch, daß ich verreisen will.

10 S: Sie haben mir nicht gesagt, ob Sie mit dem Zug fahren oder fliegen wollen.

H: Ach ja. Stimmt. Was raten Sie mir?

S: Das kommt darauf an. Sehen Sie, hier ist der Fahrplan. Es gibt sehr gute
Verbindungen, wenn Sie morgens fahren. Abfahrt Frankfurt 7.57 . . .

H: Das ist mir zu früh.

15 S: Mal sehen, ob die anderen Züge genau so gut sind. Ja. Abfahrt Frankfurt
9.05; Ankunft Hamburg 16.07.

H: Da muß ich sieben Stunden im Zug sitzen. Ist das die schnellste Ver-
bindung?

S: Ich glaube, daß der Helvetia-Expreß der beste Zug für Sie ist. Er fährt um
20   12.10 von Frankfurt ab und kommt um 17.30 in Hamburg an. Diesen Zug
müssen Sie nehmen.

H: Warum?

S: Sehen Sie mal, was hier steht: „Elegante Zugbar, Schreibabteil, Zugsekretärinnen . . .“

25 H: Schreibabteil? Zugsekretärinnen? Sehr praktisch! Da kann ich meine
Briefe im Zug diktieren. Ah, deshalb gefällt Ihnen der Helvetia-Expreß so
gut!

S: Ach nein, Herr Förster, so habe ich es nicht gemeint! Der Zug ist wirklich
sehr bequem. Er braucht nur fünf Stunden. Soll ich Ihnen gleich einen
30   Platz bestellen? Einfache Fahrt oder hin und zurück?

H: Warten Sie einen Augenblick! Zeigen Sie mir bitte zuerst den Flugplan.

S: Ja, wenn Sie lieber fliegen . . .

H: Mit dem Flugzeug geht es bestimmt schneller. Ich möchte sehr gern heute
abend in Hamburg sein.

35 S: Sie haben es immer so eilig. Also, es gibt einen Flug um 18 Uhr. Da sind
Sie eine Stunde später in Hamburg.

H: Das paßt mir viel besser. Rufen Sie bitte den Flughafen an und bestellen
Sie mir einen Platz. Es ist schon spät. Ich gehe sofort nach Hause und
packe meine Sachen.

40 S: Aber, Herr Förster, wird es denn noch Plätze geben?

H: Versuchen Sie es! Auf Wiedersehen!

S: Herr Förster, Ihre Aktentasche!

*   *   *

Dame am Schalter: Darf ich Ihren Flugschein sehen?

H: Ich habe noch keinen Flugschein. Ich will nach Hamburg fliegen. Meine
45   Sekretärin. . .

23

D: Gehen Sie bitte zum nächsten Schalter.

H: Entschuldigen Sie, meine Sekretärin hat telefonisch einen Platz für mich gebucht.

D: Warten Sie einen Augenblick bitte! Ich werde gleich nachsehen, aber ich muß zuerst die anderen Fluggäste bedienen.

H: Bitte sehen Sie doch zuerst nach – sonst komme ich zu spät. Ich möchte mit dem Flugzeug um 18 Uhr fliegen.

D: Ich weiß nicht, ob Sie das Flugzeug noch erreichen. Es fliegt in wenigen Minuten ab. Wie ist denn Ihr Name?

H: Förster.

D: Ja, stimmt. Wir haben einen Platz für Sie gebucht. Bitte, lassen Sie Ihr Gepäck sofort wiegen!

H: Ich habe nur diesen kleinen Koffer.

D: Haben Sie sonst noch Handgepäck?

H: Nein. Sonst nichts. Nur diese schwarze Aktentasche.

Lautsprecher: Flug LH 007 nach Hamburg. Die Fluggäste werden gebeten, zum Ausgang B zu gehen.

D: Sehen Sie, Ihr Flug wird schon ausgerufen.

Lautsprecher: Fluggäste für Flug LH 007 nach Hamburg bitte zum Ausgang B.

* * *

Stewardeß: Bitte anschnallen. Wir fliegen ab.

Mann: Sie sind ja ganz außer Atem.

H: Ja, ich hatte so lange im Büro zu tun und kam im letzten Augenblick zum Flughafen.

M: Sie fliegen wohl auch geschäftlich nach Hamburg?

H: Ja. Dieser Flug ist ideal für Geschäftsleute, nicht wahr?

M: Ja, ja. Darf ich Ihnen eine Zigarette anbieten?

H: Nein, danke. Ich habe das Rauchen aufgegeben.

M: Gestatten Sie, daß ich rauche?

H: Bitte sehr. Darf man denn schon rauchen?

M: Ach so! Gut, daß Sie es mir sagen! Da steht ja noch: „Bitte anschnallen, nicht rauchen." Dann muß ich leider warten. Kennen Sie Hamburg gut?

H: Nein. Ich war noch nie dort.

M: Noch nie? Na, Hamburg wird Ihnen bestimmt gefallen. Machen Sie heute abend einen Bummel durch die Stadt. Das ist sehr amüsant. In Hamburg ist immer etwas los.

H: Das habe ich auch schon gehört. Aber ich bin ja auf einer Geschäftsreise.

M: Abends haben Sie doch sicher nicht viel zu tun. In Hamburg geht man abends aus.

die Aktentasche(–n)	briefcase
an|schnallen	to fasten (seat belt), strap in
der Ausgang(̈e)	exit
*aus|gehen(–, i, a)	to end (story or event)
aus|rufen(–, ie, u)	to call out, announce (flight, etc.)
bedienen	to attend to, serve

buchen	to book
erreichen	to reach, catch (train, plane, etc.)
der Flug(⁻e)	flight
der Fluggast(⁻e)	air passenger
der Flugschein(–e)	air ticket
froh	glad
geschäftlich	on business, relating to business
der Kassenschrank(⁻e)	safe
nachlsehen(ie, a, e)	to look up, check
neugierig	curious, inquisitive
der Schalter(–)	counter, booking-office
unangenehm	unpleasant, disagreeable
*verreisen	to go on a journey
vertreten(i, a, e)	to represent
wiegen(–, o, o)	to weigh

ein paar	a few
Wie kommen Sie auf so eine Idee?	How could you think of such a thing?
das(es) kommt darauf an	it depends
so habe ich es nicht gemeint	I didn't mean it that way
lassen Sie Ihr Gepäck wiegen!	have your luggage weighed
bitte anschnallen!	please fasten your seat belts
außer Atem	out of breath
Gestatten Sie, daß . . .?	Would you allow me to . . .? (Do you mind if . . .?)
gut, daß . . .	it's a good thing that . . .
einen Bummel machen	to go for a stroll

Going by train

der Bahnsteig(–e) ⎫ das Gleis(–e) ⎭	platform
die Abfahrt(–en)	departure
die Ankunft(⁻e)	arrival
der Personenzug(⁻e)	slow train
der Eilzug(⁻e)	fast train
der Schnellzug(⁻e) ⎫ der D–Zug(⁻e) ⎭	through-train
der TEE Zug(⁻e)	Trans–Europe–Express
der Zuschlag(⁻e)	supplement (for through and express trains)
der Fahrkartenschalter(–)	ticket office
einfache Fahrt ⎫ einfach ⎭	single ticket
hin und zurück	return
die Rückfahrkarte(–n)	return ticket
das Abteil(–e)	compartment
(das) Nichtraucher(abteil)	no-smoking (compartment)
(das) Raucher(abteil)	smoking (compartment)
der Speisewagen(–)	dining car
der Schlafwagen(–)	sleeping car

Word order in dependent clauses

In dependent clauses introduced by words such as *daß* (that), *weil* (because), *wenn* (when, if), *ob* (if, whether), or by interrogatives like *wann, warum, wie* the verb always stands last:

- Ich gehe ins Kino, weil ich Zeit *habe*.
  I am going to the cinema because I have time.
- Ich weiß nicht, warum er heute nicht *kommt*.
  I don't know why he isn't coming today.

An infinitive or past participle stands immediately before the verb:

- Ich weiß nicht, ob sie mich *besuchen* wird.
  I don't know whether she will visit me.
- Können Sie mir sagen, ob Sie einen Platz *gebucht* haben?
  Can you tell me whether you have booked a seat?

Separable prefixes

ab–, an–, auf–, aus–, bei–, ein–, mit–, nach–, vor–, weg–, zu–, zurück– are some of the more common separable prefixes. They are always stressed. In simple sentences and in commands they separate from the verb and stand at the end:

- Ich *gehe* heute abend *aus*.
  I am going out tonight.
- Wann *kommt* der Zug *an*?
  When does the train arrive?
- Bitte *rufen* Sie mich *an*!
  Please ring me.

But they remain joined to the verb in the infinitive and in dependent clauses:

- Ich will heute abend *ausgehen*.
  I want to go out tonight.
- Ich weiß nicht, wann der Zug *ankommt*.
  I don't know at what time the train arrives.

Difference between *kennen* and *wissen*

kennen means 'to know someone or something personally':

- Ich kenne seine Tochter.
- Kennen Sie Hamburg?

wissen means 'to know about something, to know a fact':

- Ich weiß nichts von dem Einbruch.
- Ich weiß nicht, wann er kommt.

Adjectives after der

Adjectives after *der, dieser, jeder, welcher* and *alle* (plural) have the following endings:

singular

	M			F			N		
nom:	der	rot*e*	Hut	die	blond*e*	Dame	das	schön*e*	Kleid
acc:	den	*–en*	Hut	die	*–e*	Dame	das	*–e*	Kleid
gen:	des	*–en*	Hutes	der	*–en*	Dame	des	*–en*	Kleides
dat:	dem	*–en*	Hut	der	*–en*	Dame	dem	*–en*	Kleid

plural

nom:	die	schön*en*	Hüte	Damen	Kleider
acc:	die	*–en*	Hüte	Damen	Kleider
gen:	der	*–en*	Hüte	Damen	Kleider
dat:	den	*–en*	Hüten	Damen	Kleidern

Exercises

(*a*) Join the following sentences with the word in brackets and then translate into English:

1. Ich bleibe zu Hause. Ich habe Kopfschmerzen. (weil)
2. Bitte fragen Sie ihn. Geht er heute abend ins Theater? (ob)
3. Wir machen einen Ausflug. Das Wetter ist schön. (wenn)
4. Ich bin froh. Ich fahre nach Hamburg. (daß)

(*b*) Translate:

1. My secretary doesn't know where the key of the safe is.
2. The train for Berlin leaves from platform 5.
3. Do you know the lady with the black hat?
4. I don't want to go out tonight because I must tidy up the flat.

Zungenbrecher

Der Kassenschrankschlüssel steckt im Kassenschrankschlüsselloch.

5 Helmut und Herr König in Hamburg

König: Herr Förster, ich freue mich sehr, daß ich Sie endlich kennenlerne. Wir arbeiten beide in der gleichen Firma, aber wir haben uns noch nie getroffen. Nicht wahr?

Helmut: Ja, das stimmt, Herr König.

05 K: Kennen Sie Hamburg?

H: Nein, ich bin zum ersten Mal hier. Hamburg scheint eine sehr interessante Stadt zu sein.

K: Das kann man wohl sagen. Ich wohne schon seit Jahren hier und kenne mich sehr gut aus. Darf ich Ihnen die Stadt zeigen? Es gibt so viel zu
10 sehen – den Hafen, den Zoo, die Reeperbahn . . .

H: Ja, die Reeperbahn, das große Vergnügungsviertel. Ich habe schon sehr viel davon gehört.

K: Das müssen Sie sich unbedingt ansehen. Wir können heute abend zusammen ausgehen, wenn es Ihnen recht ist.

15 H: Gerne. Ich möchte nur nicht zu spät ins Hotel zurückkommen. Eine Geschäftsreise ist immer sehr anstrengend.

K: Wollen wir uns den Hafen ansehen?

H: Mit Vergnügen. Aber ich möchte zuerst unsere geschäftlichen Sachen erledigen. Wir haben einen Brief von unserem Kunden in Neapel erhalten.
20 Er hat sich beschwert. Anscheinend sind die Waren auf dem Schiff beschädigt worden.

K: Ich kann mir nicht vorstellen, daß es unsere Schuld war.

H: Vielleicht sind die Maschinen schlecht verpackt worden?

K: Wollen wir uns das Warenlager ansehen, wo sie verpackt wurden?

25 H: Ja, das ist bestimmt das Beste.

K: Gut. Das Warenlager ist nicht weit von hier. Gehen wir zu Fuß! Dann kann ich Ihnen den Hafen zeigen.

H: Ja, schön.

*   *   *

K: Sehen Sie mal, wie viele Schiffe hier im Hafen liegen. Stellen Sie sich vor,
30 über tausend Schiffe kommen jeden Monat nach Hamburg. Abends sind die Kneipen voll von Matrosen aus Skandinavien, aus England, den Vereinigten Staaten, der Türkei . . .

H: Der Türkei? Was schicken uns denn die Türken?

K: Die Türken schicken uns Därme für unsere Wurstfabriken.

35 H: Deutsche Würste in türkischen Därmen! Das habe ich noch nie gehört.

K: Es ist aber wahr. Essen Sie gerne Bratwurst?

H: Ja, eine schöne heiße Bratwurst und ein kaltes Glas Bier schmecken mir immer.

K: Gut. Ich mache Ihnen einen Vorschlag: wir gehen heute abend in die große

Bierstube auf der Reeperbahn. Dort gibt es die beste Bratwurst in ganz Hamburg. Das Lokal ist sehr gemütlich. Na, Sie werden ja sehen! Wir gehen heute abend nach dem Abendessen hin.

* * *

H: Nett von Ihnen, Herr König, daß Sie mich abholen.

05 K: Es ist mir ein Vergnügen, Ihnen das Hamburger Nachtleben zu zeigen. Unser Lokal ist ganz in der Nähe. Wollen wir zu Fuß gehen?

H: Ja, gerne. Aber sehen Sie mal, es ist ganz neblig. Man sieht überhaupt nichts.

K: Ich habe nebliges Wetter gern. Da muß ich an meine Londoner Studen-
10 tentage denken. Wissen Sie, warum die Engländer und die Hamburger sich so gut verstehen?

H: Nein. Warum?

K: Weil es bei uns auch so viel Nebel gibt.

H: Ich finde den Nebel ziemlich unangenehm. Man kann sich so leicht
15 verlaufen.

K: Machen Sie sich keine Sorgen! Ich kenne mich in diesem Viertel gut aus. Sehen Sie die Lampe an dieser Straßenecke? Da ist die Bierstube. Können Sie lesen, was dort steht?

H: „Zum Blauen Engel". Ein schöner Name für eine Bierstube!

20 K: „Zum Blauen Engel"! Ach, du lieber Himmel! Das ist ja eine Hafen-kneipe. Wir haben uns verlaufen. Wir können hier schnell etwas trinken und dann weitergehen. Kommen Sie!

* * *

H: Ach, was für ein Lärm! Hier sind nur Matrosen. Was für ein Betrieb!

K: Was möchten Sie gern?

25 H: Ein Bier, bitte.

K: Herr Ober – zwei Bier, bitte!

Kellner: Sofort, mein Herr.

H: Die Leute sind sehr vergnügt hier.

Liesel: Ach, was für eine Überraschung! Wie geht es dir?

30 H: Entschuldigen Sie. Ich kenne Sie nicht. Herr König, wollen wir nicht lieber weitergehen?

L: Helmut, kennst du mich nicht mehr?

H: Liesel! Natürlich! Wir haben uns ja seit Jahren nicht gesehen. Darf ich dir meinen Kollegen, Herrn König, vorstellen?

35 L: Freut mich.

H: Herr König, Fräulein Liselotte Gromm.

K: Sehr angenehm.

H: Was machst du denn hier ganz allein?

L: Helmut, erstens bin ich nicht allein, und zweitens heiße ich nicht mehr
40 Liselotte Gromm, sondern Liselotte Zimmermann.

H: Verheiratet?

L: Ja, verheiratet. Otto, sieh mal, wer hier ist! Mein alter Freund, Helmut Förster.

Otto: So. Angenehm.

05 L: Das ist mein Mann.

H: Freut mich sehr.

L: Wieso bist du denn in Hamburg, Helmut?

H: Ich bin geschäftlich hier.

L: Mein Mann auch. Was für ein Zufall, daß wir uns hier treffen!

10 O: Ja, ja, so ist das Leben.

L: Wollen wir uns nicht setzen? Wir haben uns doch so viel zu erzählen. Otto, wohin gehst du? Setz dich doch zu uns!

O: Ich will den Kellner fragen, ob es hier Sekt gibt.

L: Oh – eine herrliche Idee! So ein Wiedersehen muß man richtig feiern. Es
15 ist doch ganz gemütlich hier, nicht wahr? Hört mal der Musik zu!

> „Wie schön, daß du wieder zu Hause bist,
> und daß wir uns wiederseh'n.
> Wie schön, daß du mich nicht so ganz vergißt;
> wie schön ist das, wie schön!"

20 L: Ist das nicht ein netter Schlager?

> „Wie schön, daß du wieder zu Hause bist,
> und daß wir uns wiederseh'n . . ."

sich aus|kennen(–, a, a)	to know one's way (around)
sich beschweren	to complain
die Bierstube(–n)	popular drinking place
die Bratwurst(¨e)	type of fried sausage
der Darm(¨e)	skin (of sausage)
der Engel(–)	angel
feiern	to celebrate
gemütlich	cosy
der Hafen(¨)	harbour
heiß	hot
der Kellner(–)	waiter
die Kneipe(–n)	pub, tavern
leicht	easy, easily
das Lokal(–e)	general name for restaurant, pub or place of entertainment
der Matrose(–n w.)	sailor
der Schlager(–)	pop song
die Überraschung(–en)	surprise
vergnügt	cheerful, happy
das Vergnügungsviertel(–)	gay part of the town
sich verlaufen(äu, ie, au)	to lose one's way
verpacken	to pack (goods)

das Warenlager(-)	warehouse
der Zufall(-e)	coincidence, chance
zu|hören(+ *dat.*)	to listen to

das kann man wohl sagen	too true
es ist mir recht	it is all right by me
zu Fuß gehen	to walk, go on foot
sich Sorgen machen	to worry
Herr Ober!	waiter!
Wie geht es dir (Ihnen)?	How are you?
(es) freut mich (sehr) ⎱	How do you do? (when being introduced)
(sehr) angenehm ⎰	

Reflexive verbs

Reflexive verbs always take a reflexive pronoun equivalent to 'myself, yourself' etc. This pronoun is usually in the accusative:

sich setzen – to sit down (seat oneself)

ich	setze	*mich*
du	setzt	*dich*
er, sie, es	setzt	*sich*
wir	setzen	*uns*
ihr	setzt	*euch*
Sie, sie	setzen	*sich*

But a verb takes a reflexive pronoun in the dative when a direct object follows:

sich Sorgen machen – to worry

ich	mache	*mir*	Sorgen
du	machst	*dir*	Sorgen
er, sie, es	macht	*sich*	Sorgen
wir	machen	*uns*	Sorgen
ihr	macht	*euch*	Sorgen
Sie, sie	machen	*sich*	Sorgen

Note: the dative and accusative pronouns are the same, except after *ich* and *du*.

In the plural reflexive pronouns can also mean 'each other' or 'one another':

- Wir treffen uns heute abend.
  We'll meet (each other) tonight.
- Sie verstehen sich gut.
  They understand one another well.

31

Many verbs are reflexive in German, but not in English, e.g.:

with accusative	sich beeilen	to hurry
	sich beschweren	to complain
	sich erinnern (an + *acc.*)	to remember
	sich freuen	to be glad
	sich verlaufen	to lose one's way
with dative	sich (etwas) anlsehen	to have a look at
	sich (etwas) kaufen	to buy
	sich (etwas) vorlstellen	to imagine

Past participles without ge–

Verbs with inseparable prefixes, such as *be–, emp–, ent–, er–, ge–, ver–, zer–*, form the past participle without *ge–*. Inseparable prefixes are always unstressed:

	Infinitive	Past participle
weak	beschweren	beschwert
	entschuldigen	entschuldigt
	erledigen	erledigt
strong	beginnen	begonnen
	erhalten	erhalten
	verstehen	verstanden

Verbs ending in *–ieren* also form the past participle without *ge–*:

passieren	passiert
reservieren	reserviert

Adjectives after *ein*

Adjectives after *ein, kein* and the possessive adjectives have the same endings as after *der*, except in the masculine nominative singular and the neuter nominative and accusative singular:

singular

	M		F		N	
nom:	ein rot*er* Hut		eine blonde Dame		ein schön*es* Kleid	
acc:	einen –en Hut		eine –e Dame		ein –*es* Kleid	
gen:	eines –en Hutes		einer –en Dame		eines –en Kleides	
dat:	einem –en Hut		einer –en Dame		einem –en Kleid	

plural

nom:	keine schönen Hüte	Damen	Kleider
acc:	keine –en Hüte	Damen	Kleider
gen:	keiner –en Hüte	Damen	Kleider
dat:	keinen –en Hüten	Damen	Kleidern

Names of towns and countries
The names of most countries and towns are neuter. They are used without the article, except when preceded by an adjective:

- Skandinavien (Scandinavia)
  das kalte Skandinavien
- Neapel (Naples)
  das schöne Neapel

exceptions: die Schweiz (Switzerland)
die Vereinigten Staaten (United States)

Names of inhabitants of towns and some countries end in *–er* and follow the same pattern as other nouns in *–er*:

- England: der Engländer(–)
  die Schweiz: der Schweizer(–)
- London: der Londoner(–)
  Hamburg: der Hamburger(–)

–er may also be added to names of towns to form adjectives; these are invariable:

- das Frankfurter Würstchen
- der Wiener Wald

Note that the names of inhabitants of some countries end in *–e* and follow the pattern of weak nouns:

- Frankreich: der Franzose(–n)
- die Türkei: der Türke(–n)

Difference between *vorstellen* and *sich vorstellen*
vorstellen means 'to introduce one person to another':

Ich stellte ihn meiner Frau vor.
I introduced him to my wife.

sich (etwas) vorstellen means 'to imagine':

- Das kann ich mir vorstellen.
  I can imagine that.

Exercises
(a) Complete these sentences:
1. Ich freue . . ., daß wir . . . treffen.
2. Kennen Sie . . . in London aus?
3. Man kann . . . im Wald leicht verlaufen.
4. Du mußt . . . bei dem Herrn Direktor beschweren.

(b) Put into the perfect:
1. Ich erledige meine geschäftlichen Sachen.
2. Mein Freund erzählt mir alles.
3. Ich verstehe nicht, was Sie mir sagen.
4. Warum verpacken Sie die Waren nicht besser?

Silbenrätsel

1. ....
2. ....
3. ....
4. ....
5. ....
6. ....
7. ....
8. ....
9. ....
10. ....

Give the answer in German by making up words with these syllables: bro – burts – chen – de – dung – ein – ein – ein – ein – en – fach – ge – ge – ge – händ – ita – kom – la – ler – li – li – men – mo – na – neun – tag – ter – wit – zig

The 1st and 6th letters when read down form a German proverb. (*ch* counts as one letter.)

1. thunderstorm   2. income   3. a refreshing drink 4. single, sometimes simple 5. birthday 6. invitation 7. ninety 8. dealer 9. past participle of 'to break in' 10. Mediterranean country

6 | Liesel und Helmut fahren nach Hameln

Mann: Hotel Drei Könige.

Otto: Bitte verbinden Sie mich mit Herrn Förster, Herrn Helmut Förster.

M: Einen Augenblick, bitte. Tut mir leid, die Nummer ist besetzt. Wollen Sie warten?

05 O: Ja.

M: Sind Sie am Apparat? Die Nummer ist jetzt frei. Ich verbinde Sie.

Helmut: Förster.

O: Hier Otto Zimmermann. Guten Morgen, Herr Förster. Meine Frau läßt Sie grüßen. Sie ist gerade zum Friseur gegangen. Deshalb rufe ich Sie an.

10 Hören Sie mal. Wir fahren morgen früh nach München zurück. Wenn Sie wollen, können wir Sie ein Stück mitnehmen.

H: Das ist sehr liebenswürdig von Ihnen.

O: Wir werden über Hannover fahren. Ich werde dort ein paar Stunden bleiben, weil ich verschiedene Kunden besuchen will. Während der Zeit

15 möchte Liesel gern einen Ausflug nach Hameln machen. Sie ist noch nie dort gewesen. Hameln ist nur 50 Kilometer von Hannover entfernt, und Sie können früh am Abend wieder in Hannover sein. Haben Sie Lust, mit uns zu fahren?

H: Ich nehme Ihren Vorschlag mit Vergnügen an. Vielen Dank. Soll ich zu

20 Ihnen ins Hotel kommen?

O: Nein. Das ist nicht nötig. Wenn es Ihnen recht ist, holen wir Sie ungefähr um neun Uhr ab.

H: Gut. Bis morgen ...

* * *

H: Liesel, warum sind wir eigentlich nach Hameln gefahren?

25 *Liesel:* Weißt du, als ich in die Schule ging, hatte ich die Geschichte vom Rattenfänger von Hameln so gern. Da wollte ich sehen, wie die Stadt in

34

Wirklichkeit aussieht. Sieh mal die engen Sträßchen und die alten Häuser! Ich kann mir so gut vorstellen, wie der Rattenfänger auf seiner Flöte spielte und mit den Kindern aus der Stadt zog.

H: Hameln scheint eine nette alte Stadt zu sein, aber ich glaube nicht, daß es hier besonders viel zu sehen gibt.

L: Komm, hier ist der Verkehrsverein. Da können wir uns erkundigen.

Mann im Verkehrsverein: Guten Morgen. Hätten Sie gern einen Prospekt über die alte Rattenfängerstadt?

H: Ja, bitte.

L: Was gibt es hier zu sehen?

M: Gehen Sie zuerst in die Altstadt und sehen Sie sich vor allen Dingen das Rattenfängerhaus an.

L: Hat es etwas mit dem Rattenfänger zu tun?

M: Das fragt uns jeder. Eigentlich hat das Haus nichts mit dieser Geschichte zu tun, denn es wurde viel später gebaut. Es ist jetzt ein großes Restaurant.

L: Ja, warum nennt man es denn dann das Rattenfängerhaus?

M: Weil am Haus eine alte Inschrift ist. Dort steht, daß am 26. Juni 1284 ein Pfeifer 130 Kinder entführte. Sie wurden nie wieder gesehen.

L: Ach, wie interessant. Soll denn das wahr sein?

M: Gnädige Frau, es ist bis heute noch ein Rätsel, was damals in Hameln wirklich passiert ist. Das eine steht fest: in unserer Stadt kann man noch den Spuren des Rattenfängers folgen. Es gibt sogar eine Straße, wo heute noch das Trommeln und Flötenspielen verboten ist. Es wird erzählt, daß er die Kinder mit seiner Flöte durch diese Straße lockte.

L: Dort müssen wir hingehen. Vielen Dank für Ihre Auskunft.

       *   *   *

H: Sag mal, Liesel, warum hat der Rattenfänger eigentlich die Kinder entführt? Ich wollte den Mann im Verkehrsverein nicht fragen.

L: Weißt du das wirklich nicht mehr? Also, der Rattenfänger hatte die Ratten aus Hameln vertrieben. Er hatte sie mit seiner Flöte aus der Stadt gelockt. Der Bürgermeister hatte ihm tausend Gulden versprochen. Als der Rattenfänger sein Geld verlangte, gab ihm der Bürgermeister aber nur einen Gulden. Da spielte der Rattenfänger ein zweites Mal auf seiner Flöte...

H: Ah, jetzt weiß ich es wieder – und diesmal folgten ihm die Kinder, nicht wahr?

L: Ja, und die Moral von der Geschichte ist...

H: Man muß sein Versprechen halten.

L: Stimmt. Weißt du, daß du versprochen hast, uns in München zu besuchen?

H: Ja, Liesel. Komm, wir wollen uns jetzt die Stadt ansehen, denn ich möchte nicht so spät nach Hannover zurück. Sonst verpasse ich meinen Zug nach Frankfurt.

       *   *   *

Lautsprecher: Hannover Hauptbahnhof. Hannover Hauptbahnhof.

L: Weißt du, wann dein Zug abfährt, Helmut?

H: Um Gottes willen – in drei Minuten!

L: Ich kaufe eine Bahnsteigkarte und gehe mit dir auf den Bahnsteig. Da steht „Zwanzig Pfennig einwerfen". Hast du 20 Pfennig?

H: Ja. Komm! Schnell.

Lautsprecher: Gleis drei. D-Zug nach Frankfurt. Abfahrt 19.38. Bitte einsteigen!

L: Steig schnell ein, Helmut!

Lautsprecher: D-Zug nach Frankfurt. Einsteigen bitte und die Türen schließen!

L: Der Zug fährt schon ab.

H: Auf Wiedersehen, Liesel. Wir haben noch nicht einmal Zeit, uns richtig zu verabschieden. Einen schönen Gruß an Otto.

L: Vergiß nicht, uns in München zu besuchen! Auf Wiedersehen, Helmut.

an|nehmen(i, a, o)	to accept
der Bürgermeister(–)	mayor
damals	at that time
ein|werfen(i, a, o)	to throw in, insert (coins)
eng	narrow
entfernt	distant, away from
entführen	to abduct, lead away
sich erkundigen (nach)	to enquire (about)
die Flöte(–n)	flute, pipe
* folgen(+ *dat.*)	to follow
die Geschichte(–n)	story, history
der Gulden(–)	florin
die Inschrift(–en)	inscription
locken	to lure
der Pfeifer(–)	piper
die Ratte(–n)	rat
der Rattenfänger(–)	rat-catcher
schließen(–, o, o)	to close, shut
die Spur(–en)	trace
trommeln	to beat the drum
sich verabschieden	to say good-bye
der Verkehrsverein(–e)	tourist office
verschieden	different, various
vertreiben(–, ie, ie)	to drive out
die Wirklichkeit	reality
* ziehen(–, o, o)	to go, march

(es) tut mir leid	I am sorry
grüßen lassen	to send regards
ein Stück mitnehmen	to give a lift part of the way
der Rattenfänger von Hameln	the Pied Piper of Hamelin
Soll das wahr sein?	Is that supposed to be true?
vor allen Dingen	above all
das eine steht fest	one thing is certain
um Gottes willen!	for heaven's sake!
bitte einsteigen!	please board the train
einen schönen Gruß an(+ *acc.*)	regards to

36

Telephoning

das Telefon(–e) der Fernsprecher(–) }	telephone
die Telefonzelle(–n)	telephone booth
das Ortsgespräch(–e)	local call
das Ferngespräch(–e)	long-distance call
der Anruf(–e)	telephone call
an|rufen(–, ie, u) telefonieren }	to telephone, ring
wählen	to dial
falsch verbunden	wrong number

Ich rufe Sie wieder (an).	I'll call you back.
Ich verbinde Sie.	I'll put you through.
Die Nummer ist besetzt (frei).	The number is engaged (free).
Wer ist am Apparat?	Who is speaking?
Bleiben Sie am Apparat!	Hold the line.
Kann ich . . . sprechen?	Can I speak to . . .?

sein + past participle   *sein* instead of *haben* is used with the past participle of verbs without a direct object, indicating a change of place or condition. (These are marked with an asterisk in the vocabularies.) *sein* is also used with the past participle of *sein* (*gewesen*), *werden* (*geworden*), *bleiben* (*geblieben*), *passieren* (*passiert*):

- Ich bin noch nie dort gewesen.
 I have never yet been there.
- Er ist sehr dick geworden.
 He has become very fat.
- Ist sie in die Stadt gegangen?
 Did she go into town?
- Wir sind mit dem Zug gefahren.
 We went by train.

but: Er *hat* mich (direct obj.) nach Hause gefahren.
 He drove me home.

Irregular strong verbs   A few strong verbs have a consonant as well as a vowel change in the past tense and the past participle. The most common are:

Infinitive	Past tense	Past participle
gehen	ging	gegangen
sitzen	saß	gesessen
stehen	stand	gestanden
tun	tat	getan
ziehen	zog	gezogen

37

Dependent clause before main clause   When a dependent clause precedes the main clause, the verb of the main clause comes before the subject, i.e. the verbs of both clauses stand next to each other, separated by a comma:

- Wenn Sie Lust *haben*, *gehen* wir aus.
  If you feel like it, we'll go out.
- Was passiert *ist*, *weiß* man nicht.
  What happened is not known.

wann, als, wenn   *wann*(=when, at what time) is used in direct and indirect questions:

- Wann fährt der Zug ab?
  When does the train leave?
- Wissen Sie, wann er abfährt?
  Do you know when it leaves?

als(= when) is used when referring to a single occasion in the past:

- Als er an den Bahnhof kam, war der Zug schon abgefahren.
  When he arrived at the station the train had already left.

wenn(= when) is used when referring to a present or future event:

- Er wird am Bahnhof sein, wenn der Zug ankommt.
  He will be at the station when the train arrives.

wenn(= whenever) refers to something happening more than once in the present or past:

- Wenn das Wetter schön ist(war), geht(ging) er spazieren.
  Whenever the weather is(was) fine, he goes (went) for a walk.

wenn(= if):

- Wenn es Ihnen recht ist, gehen wir aus.
  If it is all right with you we'll go out.

Difference between *ich möchte* and *ich hätte gern*   Both mean 'I should like'. But *ich hätte gern* is used with a direct object only:

- Was hätten Sie gern?
  What would you like?
- Ich hätte gern einen neuen Hut.
  I should like a new hat.

ich möchte (or more emphatically *ich möchte gern*) can be followed by a direct object, an infinitive or both:

- Ich möchte (gern) einen Koffer.
  I should like a suitcase.
- Ich möchte (gern) in die Stadt gehen.
  I should like to go into town.
- Ich möchte (gern) einen Mantel kaufen.
  I should like to buy a coat.

Exercises (*a*) Translate using *als*, *wenn* or *wann*:

1. If the weather is fine tomorrow, he will go for a walk.
2. I should like to know when the next train leaves.
3. When I wanted to 'phone him the number was engaged.
4. It always rains whenever I go out without an umbrella.

(*b*) *sein* or *haben*? Fill in the blank spaces:

1. Ich . . . noch nie in Deutschland gewesen.
2. Wegen der Geschichte vom Rattenfänger . . . Hameln sehr berühmt geworden.
3. Meine Freunde . . . mich nach Hause gefahren.
4. Warum . . . Sie den ganzen Tag zu Hause geblieben?

7 | Gisela trifft ihre Freundin

Gisela: Erika, wie lange haben wir uns nicht gesehen?
Erika: Gisela! Wie geht es dir denn?
G: Mir geht es ausgezeichnet. Und dir?
E: Danke, gut.
05 G: Du bist so schlank geworden.
E: Aber du hast mich doch erkannt. Laß dich mal ansehen! Du siehst so schick aus – du bist beim Friseur gewesen, du hast ein neues Kostüm an. Was hast du vor?
G: Gar nichts. Und du?
10 E: Ich wollte gerade ins Modehaus Hanke gehen. Dort ist Ausverkauf.
G: Ausverkauf? Davon wußte ich nichts. Wollen wir uns mal die Schaufenster ansehen?
E: Ja. Siehst du, was da steht: „Großer Ausverkauf! Kaufen Sie jetzt, kaufen Sie billig!"

G: Vielleicht gibt es hier billige Herrenkleidung. Helmut hätte so gern einen neuen Sommermantel.

E: Wollen wir hineingehen? Ich muß mir vor allen Dingen Strümpfe kaufen. Ein Paar Strümpfe hält bei mir nicht länger als eine Woche...

05 G: Da ist die Strumpfabteilung.

Verkäuferin: Was darf es sein, gnädige Frau?

E: Ein Paar Strümpfe, bitte.

V: Welche Größe möchten Sie?

E: Meine Schuhgröße ist achtunddreißig.

10 V: Da brauchen Sie Größe neun oder neuneinhalb. Wir haben sehr gute Strümpfe im Ausverkauf. Hauchdünn. Sie sind von drei Mark fünfundneunzig auf zwei Mark fünfundneunzig herabgesetzt. Sehen Sie?

E: Ist das Perlon oder Nylon?

V: Perlon, gnädige Frau. Ausgezeichnete Qualität. Dieses Paar ist ohne
15 Naht. Die Farbe ist sehr modern. Sie werden sehr zufrieden damit sein. Wir haben auch Strümpfe mit Naht, aber leider sind sie nicht herabgesetzt.

E: Gisela, findest du nicht, daß diese Strümpfe schrecklich dünn sind? Sie werden keine zwei Tage halten.

20 G: Dünne Strümpfe sehen viel schicker aus.

E: Wahrscheinlich hast du recht. Du verstehst mehr von der Mode als ich.

V: Wenn Sie drei Paar Strümpfe kaufen, kosten sie zusammen nur 8 Mark.

G: Kauf doch gleich ein Dutzend!

E: Du bist so verschwenderisch.

25 G: Verschwenderisch? Wenn du sie billig im Ausverkauf bekommst, sparst du viel Geld.

V: Die Dame hat ganz recht.

E: Mehr als drei Paar kann ich mir nicht leisten. Ich habe heute schon so viel Geld ausgegeben.

30 V: Gut, gnädige Frau. Ich packe Ihnen die Strümpfe gleich ein. Zahlen Sie bitte an der Kasse! Darf ich der Dame auch etwas zeigen?

G: Danke. Heute nicht. Wo ist die Herrenabteilung?

V: Im ersten Stock links. Benutzen Sie die Rolltreppe, direkt neben der Kasse.

35 G. und E: Vielen Dank. Auf Wiedersehen!

E: Was gibt's Neues bei euch? Was macht Helmut?

G: Helmut ist verreist. Er mußte geschäftlich nach Hamburg. Er hat schrecklich viel zu tun. Habe ich dir schon erzählt, daß er eine neue Stelle hat?

40 E: Nein.

G: Er ist jetzt Leiter der Exportabteilung in einer großen Maschinenfabrik.

E: Doch nicht in der Maschinenfabrik in der Zeppelinstraße? Dort wurde vor ein paar Tagen eingebrochen.

G: Woher weißt du das?

45 E: Ich habe es in der Zeitung gelesen. Ich hoffe, Helmut hat nichts damit zu tun gehabt.

G: Wie kannst du so etwas sagen! Mein Mann ist doch kein Einbrecher.

E: Gisela, sei nicht so dumm! Das wollte ich damit nicht sagen. Ich meine, hoffentlich mußte er sich nicht mit dem Einbruch beschäftigen.

G: Ach so ... Hier sind wir in der Herrenabteilung.

Verkäufer: Bitte, meine Damen, womit kann ich dienen?

05 G: Ich hätte gern einen leichten Sommermantel für meinen Mann.

V: Wie groß ist der Herr?

G: Ungefähr so groß wie Sie.

V: Gefällt Ihnen dieser Mantel? Er ist auf 80 Mark herabgesetzt. Sehen Sie sich den Stoff an! Es ist ausgezeichnetes Material und wird sich sehr gut
10 tragen.

G: Haben Sie den gleichen Mantel auch in hellgrau?

V: Leider nicht in dieser Größe. Kann es nicht auch ein hellbrauner Mantel sein?

G: Nein. Mein Mann trägt nur grau.

15 V: Tut mir leid. Die hellgrauen Mäntel sind ausverkauft. Darf es sonst etwas sein?

G: Nein, danke. Erika, es ist ja schon vier Uhr. Entschuldige, bitte. Ich muß gehen. Ich habe eine wichtige Verabredung.

E: So? Mit wem?

20 G: Das ist ein Geheimnis.

E: Ach, deshalb hast du dich so elegant angezogen und bist beim Friseur gewesen! Wenn das dein Helmut hört ...

G: Erika, sei nicht so lächerlich! In Wirklichkeit ist es gar kein Geheimnis. Ich will es dir sagen. Ich lerne Auto fahren. Heute habe ich die dritte
25 Stunde.

E: Hat dein Mann nichts dagegen?

G: Doch. Wie alle Männer ist er dagegen, daß Frauen Auto fahren. Er sagt immer: „Die Frauen haben nicht den nötigen Verstand. Sie denken an alles andere, nur nicht an den Verkehr", und so weiter, und so weiter.

30 E: Das sagt mein Bruder auch immer. In Wirklichkeit will er nicht, daß ich sein Auto benutze. Macht dir das Autofahren Spaß?

G: Spaß ist nicht das richtige Wort. Der Fahrlehrer ist sehr nett und er erklärt alles sehr gut. Aber es macht mich ganz nervös, wenn ich auf den Verkehr aufpassen muß und zur gleichen Zeit schalten soll.

35 E: Daran gewöhnt man sich. Das Schalten ist am Anfang immer sehr schwer.

G: Das ist genau, was mein Lehrer sagt: „Aller Anfang ist schwer, aber Sie werden sich daran gewöhnen. Fahren Sie geradeaus! Schalten Sie jetzt in den zweiten Gang! Bremsen Sie! Halten Sie an der Kreuzung! Wer von
40 rechts kommt, hat Vorfahrt. Passen Sie auf! Die Straßenbahn müssen Sie rechts überholen. Andere Fahrzeuge müssen Sie links überholen. Fahren Sie weiter! Schalten Sie in den dritten Gang – ganz einfach!"

an|haben	to wear, have on
der Ausverkauf(¨e)	clearance sale
ausverkauft	sold out
sich beschäftigen mit	to be occupied with

dumm	stupid
dünn	thin
erkennen(–, a, a)	to recognize
erklären	to explain
das Geheimnis(–se)	secret
sich gewöhnen an(+ *acc.*)	to get used to
die Größe(–n)	size
hauchdünn	sheer
herablsetzen	to reduce (price)
die Herrenkleidung	men's wear
die Kasse(–n)	cash-desk
die Naht(ᵚe)	seam
die Rolltreppe(–n)	escalator
das Schaufenster(–)	shop window
schlank	slim
die Stunde(–n)	lesson, hour
die Verabredung(–en)	appointment
verschwenderisch	extravagant
der Verstand	intelligence, common sense

Was hast du (haben Sie) vor?	What are your plans?
Was darf es sein?	What would you like?
ohne Naht	seamless
finden, daß ...	to think that ...
Was gibt's (gibt es) Neues?	What's the news? What's new?
ich muß nach ...	I have to go to ...
Womit kann ich dienen?	Can I help you?

Sprichwort

Aller Anfang ist schwer.	*All beginnings are difficult.*

Driving a car

Auto fahren lernen	to learn to drive a car
die Bremse(–n)	brake
bremsen	to brake
das Fahrzeug(–e)	vehicle
der Gang(ᵚe)	gear
das Gaspedal(–e)	accelerator
Gas geben	to accelerate
halten(ä, ie, a)	to stop
die Kreuzung(–en)	crossroads
die Kupplung (–en)	clutch
der Motor(–en)	engine
schalten	to change gear
die Schaltung (–en)	gear-change
überholen	to overtake
der Vergaser(–)	carburettor
die Vorfahrt	right of way
die Zündkerze(–n)	sparking plug

Irregular weak verbs These form the past tense and past participle like regular weak verbs, but have a vowel change and sometimes a consonant change as well. The most common are:

infinitive	past tense	past participle
brennen (to burn)	brannte	gebrannt
kennen (to know)	kannte	gekannt
nennen (to call, name)	nannte	genannt
*rennen (to run)	rannte	gerannt
bringen (to bring)	brachte	gebracht
denken (to think)	dachte	gedacht
dürfen (to be allowed)	durfte	gedurft
können (to be able)	konnte	gekonnt
mögen (to like)	mochte	gemocht
müssen (to have to)	mußte	gemußt
wissen (to know)	wußte	gewußt

Note the difference between *kennen* and *können*:

infinitive	present	past
kennen	ich kenne	ich *kannte*
können	ich *kann*	ich konnte

dafür, wofür: When referring to things, 'for it, for them, with it, with them', etc. are rendered by *da-* (*dar-* before a vowel) + the appropriate preposition:

- Ich habe 2 Mark dafür bezahlt.
  I have paid two marks for it (them).

- Er weiß nichts davon.
  He knows nothing about it.

- Haben Sie etwas dagegen?
  Have you anything against it? (Do you mind?)

wo- (*wor-* before a vowel) + preposition is used to form the corresponding question:

- Worauf warten Sie?
  What are you waiting for?

- Woher wissen Sie das?
  How do you know that?

ein paar, das Paar: *ein paar* means 'a few, some'. It is invariable and is always followed by the plural:

- Ich sah ihn vor ein paar Tagen.
  I saw him a few days ago.

ein Paar, zwei Paar etc., followed by a noun in the plural, means 'a pair of, two pairs of', etc.:

43

- Ein Paar Strümpfe kostet drei Mark.
  A pair of stockings costs 3 marks.
- Ich habe zwei Paar Schuhe gekauft.
  I bought two pairs of shoes.

  das Paar(pl. *die Paare*) means 'couple':
- Zwei Paare gingen im Park spazieren.
  Two couples were walking in the park.

Difference between *ansehen* and *sich ansehen*

ansehen means simply 'to look at':

Sie sah mich an.
She looked at me.

sich (*etwas*) *ansehen* means 'to have a look at something' (in order to form an opinion about it):

- Ich muß mir das Haus ansehen.
  I must have a look at the house.

sich (*etwas*) *ansehen* is often used colloquially in the sense of 'going to see something' (film, play, etc.):

- Wollen wir uns den Film ansehen?
  Shall we go and see the film?

Continental sizes

1 inch = approx. $2\frac{1}{2}$ cm (zweieinhalb Zentimeter)
39 inches = approx. 1 m (ein Meter)

SHOES			LADIES' DRESSES, COATS, ETC.	
size 3 – $3\frac{1}{2}$	Größe 36		size 10 (bust 32 in., hips 34 in.) Größe 34	
4 – $4\frac{1}{2}$	37		12 (bust 34 in., hips 36 in.)	36/38
5 – $5\frac{1}{2}$	38		14 (bust 36 in., hips 38 in.)	40
6 – $6\frac{1}{2}$	39	Ladies'	16 (bust 38 in., hips 40 in.)	42
7	40		18 (bust 40 in., hips 42 in.)	44/46
$7\frac{1}{2}$	41		20 (bust 42 in., hips 44 in.)	48
8 – $8\frac{1}{2}$	42	Men's	22 (bust 44 in., hips 46 in.)	50
9	43		24 (bust 46 in., hips 48 in.)	52
$9\frac{1}{2}$ – 10	44		26 (bust 48 in., hips 50 in.)	54
$10\frac{1}{2}$	45			

STOCKINGS AND SOCKS	MEN'S SHIRTS			
sizes differ only slightly from those in Britain	size	Größe	size	Größe
	$14\frac{1}{2}$ in.	37 cm	$16\frac{1}{2}$ in.	42 cm
	15 in.	38 cm	17 in.	43 cm
	$15\frac{1}{2}$ in.	39 cm	$17\frac{1}{2}$ in.	44 cm
	16 in.	41 cm		

These figures should be considered as a rough guide only.

Exercises (*a*) Rewrite these sentences substituting *da–* (*dar–*) for the words in italics, and then translate into English:

1. Er hat nichts von *dem Einbruch* gewußt.
2. Ich kann mich nicht an *das Autofahren* gewöhnen.
3. Sie werden mit *diesen Strümpfen* sehr zufrieden sein.
4. Es steht nichts in *der Zeitung*.

(*b*) Translate into German:

I needed a pair of shoes. I went into a big shoe shop in the high street. The shop assistant (saleswoman) said: 'Can I help you?' I told her that I would like a pair of brown shoes. 'What size, please?' she asked. 'Size thirty-seven.' She brought me two pairs of shoes. One pair was light brown, the other black. I did not like them at all. 'I am sorry, madam,' the shop assistant said, 'the brown shoes in your size are all sold out.'

8 | Helmut kommt ins Büro zurück

Direktor: Herein!

Helmut: Guten Morgen, Herr Direktor. Darf ich Sie einen Augenblick stören?

D: Ach, Sie sind es, Herr Förster. Ich habe Sie gar nicht so früh erwartet. Wie
05 war es in Hamburg? Haben Sie alles erledigt?

H: Ja. Ich wollte Ihnen gerade über meine Reise berichten. Herr König und ich haben uns lange mit der Beschwerde unseres Kunden in Neapel beschäftigt. Leider hat er sich mit Recht beschwert.

D: Haben Sie seinen Brief schon beantwortet?

10 H: Nein, noch nicht. Darf ich Ihnen vorlesen, was ich ihm schreiben will?

D: Bitte, bitte.

H: „Sehr geehrter Herr Gazzuli, besten Dank für Ihren Brief vom 5. dieses Monats. Wir bedauern sehr, daß die Maschinen nicht in gutem Zustand in Neapel angekommen sind. Es hat sich herausgestellt, daß sie nicht
15 vorschriftsmäßig verpackt wurden. Wir glauben, daß sie deshalb auf dem Transport beschädigt wurden. Dürfen wir Sie bitten, die beschädigten Maschinen auf unsere Kosten an uns zurückzuschicken? Eine neue Sendung wird in den nächsten Tagen an Sie abgehen. Wir hoffen, daß damit die Sache zu Ihrer Zufriedenheit erledigt ist. Hochachtungsvoll . . .“

20 D: Ja. Das ist sehr gut. Wie ist eigentlich die ganze Sache passiert? Glauben Sie, daß Herr König einen Fehler gemacht hat?

H: Nein. Ich habe den Eindruck, daß Herr König sehr zuverlässig ist. Aber er kann nicht alles selbst erledigen. Er scheint viel zu viel Arbeit zu haben.

D: Ja, ja, das habe ich mir gedacht. Jemand von Ihrer Abteilung muß jetzt regelmäßig nach Hamburg fahren, um Herrn König zu helfen. Sie selbst werden nicht genug Zeit dazu haben. So etwas darf nicht noch einmal passieren. Beschädigte Waren sind ein großer Verlust für uns.

H: Sind wir denn nicht gegen Schaden versichert?

D: Doch, doch. Wir sind gegen Schaden versichert, aber die Transportkosten müssen wir selbst tragen. Außerdem macht so ein Fehler einen sehr schlechten Eindruck auf die Kunden.

H: Da haben Sie natürlich recht.

D: Übrigens, Herr Förster, wissen Sie, daß Sie wahrscheinlich vor Gericht erscheinen müssen?

H: Wie bitte? Vor Gericht?

D: Ja. Es hat sich während Ihrer Abwesenheit herausgestellt, daß der Kassenschrankschlüssel verschwunden ist. Er verschwand am Tage vor dem Einbruch.

H: Ich habe ihn bestimmt nicht verloren.

D: Das wollte ich damit nicht sagen. Aber es ist doch merkwürdig, daß der Schlüssel gerade an diesem Tag verschwand, nicht wahr?

H: Ja, ja, sehr merkwürdig. Hat die Polizei sonst noch etwas herausgefunden?

D: Soviel ich weiß, hat man noch keine Spur von den Dieben gefunden. Sie sind wohl über alle Berge. Wissen Sie, wer den Kassenschrankschlüssel zuletzt gesehen hat?

H: Ich dachte, Sie, Herr Direktor.

D: Ich? Nein, Herr Förster. Um vier Uhr nachmittags schloß ich den Kassenschrank ab, gab den Schlüssel Ihrer Sekretärin, und Ihre Sekretärin gab ihn an Sie weiter.

H: An mich? Nein.

D: Nein? Vielleicht erinnern Sie sich nicht mehr daran.

H: Entschuldigen Sie, Herr Direktor. Ich erinnere mich noch sehr genau. Ich kam kurz vor fünf Uhr in mein Büro zurück, aber meine Sekretärin war nicht da.

D: Ihre Sekretärin arbeitet schon seit zwei Jahren bei uns. Sie ist eine sehr zuverlässige junge Dame, nicht wahr?

H: Jawohl.

D: Also, wenn ich ihr den Schlüssel für Sie gebe, kann ich sicher sein, daß sie ihn an Sie weitergibt. Nicht wahr?

H: Jawohl.

D: Daher muß ich annehmen, daß Sie den Schlüssel haben.

H: Rufen Sie bitte meine Sekretärin ins Zimmer!

*   *   *

D: Fräulein Seifert – Sie haben uns schon gesagt, daß Sie in der Nacht des Einbruchs mit Ihrem Freund im Kino waren. Sie sind um elf Uhr nach Hause gekommen, nicht wahr?

46

Seifert: Ja, das stimmt.

D: Sie haben das Büro wie immer kurz nach fünf Uhr verlassen.

S: Ja.

05 D: Und bevor Sie das Büro verließen, gaben Sie Herrn Förster den Kassenschrankschlüssel?

S: Ja ... nein ... ja ... also, es war schon sehr spät. Herr Förster kam nicht ins Büro zurück.

D: So? Sie gingen also nach Hause, ohne Herrn Förster den Schlüssel zu geben?

10 S: Ich wußte nicht, was ich machen sollte. Ich wollte Joachim nicht warten lassen. Da dachte ich: ich bringe Herrn Förster den Schlüssel später nach Hause.

H: Joachim?

S: So heißt mein Freund, Herr Förster – Joachim Bitterich.

15 H: Du lieber Himmel – der Sohn unserer Reinmachefrau!

ab|schließen(–, o, o)	to lock
die Abwesenheit	absence
anneh|men(i, a, o)	to suppose, assume
beantworten	to answer
bedauern	to regret
berichten	to report, inform
die Beschwerde(–n)	complaint
der Eindruck(∸e)	impression
* erscheinen(–, ie, ie)	to appear
der Fehler(–)	mistake
das Gericht(–e)	(law) court
sich heraus|stellen	to turn out, prove
regelmäßig	regularly
die Sendung(–en)	consignment
verlassen(ä, ie, a)	to leave
verlieren(–, o, o)	to lose
der Verlust(–e)	loss
* verschwinden(–, a, u)	to disappear
versichern	to insure
vorschriftsmäßig	according to regulations
der Zustand(∸e)	condition

mit Recht	with good reason
besten Dank	thank you very much
das habe ich mir gedacht	I thought so
Wie bitte?	I beg your pardon, what did you say?
vor Gericht	in court
soviel ich weiß	as far as I know
über alle Berge	over the hills and far away
warten lassen	to keep waiting

Use of tenses

present tense: This translates various forms of the English present tense:

$$\text{ich gehe} \begin{cases} \text{I go} \\ \text{I am going} \\ \text{I do go} \end{cases}$$

It can also have a future meaning:

- Ich gehe morgen in die Stadt.
  I'll go into town tomorrow.
- Er kommt bald.
  He'll be coming soon.
- Ich rufe Sie an.
  I'll ring you.

The present tense is used where English has the perfect in sentences with *seit* (since) and expressions meaning 'over a period of time':

- Wie lange wohnen Sie hier?
  How long have you been living here?
- Kennen Sie ihn schon lange?
  Have you known him for a long time?
- Ich kenne ihn seit einem Jahr.
  I have known him for a year.

Note that in negative sentences with *seit* the perfect is used:

- Ich habe ihn seit Jahren nicht gesehen.
  I haven't seen him for years.

perfect tense: In everyday speech the perfect tense is generally used to describe an action in the past:

- Ich habe ihn letzte Woche gesehen.
  I saw him last week.
- Warum sind Sie nicht früher gekommen?
  Why didn't you come earlier?

In dependent clauses, however, the past tense is often preferred:

- Ich habe ihn nicht gegrüßt, weil ich ihn nicht sah.
  I didn't greet him because I didn't see him.

past tense: The use of the past tense is often a matter of style. It is generally preferred in formal speech, newspaper reporting, descriptions of past events and in story-telling:

- Der Bürgermeister hielt eine große Rede.
  The mayor made a big speech.
- Er fuhr schnell um die Ecke und verschwand.
  He drove quickly round the corner and disappeared.

future tense: This not only describes future action, but often expresses a probability or an assumption:

- Er wird viel Geld haben.
  He probably has a lot of money.
- Sie wird zwanzig Jahre alt sein.
  I expect she is 20 years old.

zu, um ... zu, ohne ... zu + infinitive With few exceptions the infinitive of a verb is immediately preceded by *zu* (to). With separable verbs *zu* stands between the prefix and the rest of the verb:

- Sie vergaß, ihm den Schlüssel zu geben.
  She forgot to give him the key.
- Ich habe keine Lust auszugehen.
  I don't feel like going out.

um ... zu + infinitive means 'to' in the sense of 'in order to':

- Er fuhr nach Berlin, um seine Freunde zu besuchen.
  He went to Berlin (in order) to visit his friends.
- Ich gehe an den Bahnhof, um meinen Bruder abzuholen.
  I am going to the station (in order) to fetch my brother.

ohne ... zu + infinitive means 'without (doing something)':

- Er verreiste, ohne sich zu verabschieden.
  He went away without saying goodbye.

word order: In a simple sentence *zu* + infinitive stands at the end.

selbst 'myself, yourself, himself', etc., when used for emphasis, are translated by *selbst*, which is invariable:

- Ich komme selbst.
  I'll come myself.
- Er wollte den Brief selbst schreiben.
  He wanted to write the letter himself.

Difference between scheinen and erscheinen *scheinen* means 'to shine' or 'to seem':

Die Sonne scheint.
The sun is shining.

- Er scheint krank zu sein.
  He seems to be ill.

erscheinen means 'to appear, come out, make a personal appearance':

- Er muß vor Gericht erscheinen.
  He must appear in court.
- Das Buch ist noch nicht erschienen.
  The book has not come out yet.

In colloquial speech *erscheinen* often has the sense of 'to turn up':

- Mein Freund erschien um vier Uhr.
  My friend turned up at 4 o'clock.

Exercise

Translate into German:

Dear Paul,
Many thanks for your letter. I am very glad that you are coming to England this summer. You know that you promised to visit us. You must keep your promise! I hope you will have good weather during your visit. Today the sun is shining here in London, but the weather forecast for tomorrow is not very good. Who told you that I am learning to drive? It was supposed to be a secret. I have been taking driving lessons for a month. I must say I enjoy it, but it is not easy. When you come, I'll fetch you with the car myself.
Now I must get down to work. Regards to your mother.
Yours sincerely,
Rudi

Silbenrätsel

1.....................................
2.....................................
3.....................................
4.....................................
5.....................................
6.....................................
7.....................................
8.....................................
9.....................................
10.....................................

Give the answer in German by making up words with these syllables: ab – auf – auf – auf – be – chen – cher – dem – drei – ein – ent – fernt – flie – ge – gel – gen – gi – halb – la – lä – lich – lie – ma – mäs – mer – neun – num – re – regt – schiff – se – sig – wir – zehn

The 1st and 8th letters when read down form a German proverb. (*ß* is separated *s–s*)

1. excited 2. ridiculous 3. how Helmut would start a letter to Gisela (2 words) 4. distant 5. regularly 6. one might get seasick there (3 words) 7. Erika's stocking size? 8. Are we taking off? (3 words) 9. to open 10. unlucky number? (2 words)

9 | Helmut und Gisela zu Hause

Gisela: Ist es nicht schön, Helmut, einen Abend zu Hause zu verbringen?

Helmut: Ja, herrlich. Es ist wunderbar, mal bequem im Sessel zu sitzen und nichts zu tun. Ich habe die Ruhe wirklich nötig nach der anstrengenden Geschäftsreise. Morgens im Büro, mittags in Frankfurt, abends in Ham-

05 burg. Am nächsten Tag geschäftliche Besprechungen . . .

G: Und abends in der Kneipe?

H: Woher weißt du das?

G: Ich habe heute einen Brief von Liesel Zimmermann bekommen. Sie hat uns eingeladen, sie in München zu besuchen.

10 H: Ach ja, ich wollte dir erzählen, daß wir uns zufällig getroffen haben. Aber ich habe es ganz vergessen.

G: Du hast ein Wiedersehen mit Liesel vergessen! Helmut, das glaube ich dir nicht. Sieht sie immer noch so lächerlich aus mit ihrem gefärbten Haar und den großen Hüten, die sie trägt?

15 H: Sie hat noch nie lächerlich ausgesehen. Du magst sie einfach nicht. Du bist nur eifersüchtig auf sie.

G: Unsinn!

H: Wollen wir sie nicht in München besuchen?

G: Doch, wenn du willst. Ich wußte gar nicht, daß wir nach München fahren.

20 H: Wir wollen doch diesen Sommer eine Autotour in die Berge machen. Wir können zuerst nach Bayern fahren und dann nach Österreich – das heißt, wenn wir genug Geld haben.

G: Und wenn unser schönes altes Auto so lange hält. Mit unserer Klapperkiste kommen wir wahrscheinlich nicht weiter als zum nächsten Dorf.

25 H: Eigentlich wollte ich einen neuen Wagen kaufen.

G: Liebling, wie herrlich!

H: Nur mußt du sehr sparsam sein.

G: Ja, natürlich. Ich bin doch eine gute Hausfrau . . .

H: Wer stört uns um diese Zeit? Hoffentlich ist es kein Besuch.

30 G: Bleib schön in deinem Sessel sitzen. Ich will mal sehen, wer es ist.

Mann: Guten Abend. Zentralwäscherei.

G: Sie kommen aber spät heute.

M: Ja, einmal in der Woche liefern wir abends ab. Hier ist Ihre Wäsche.

G: Was habe ich zu zahlen?

35 M: Die Rechnung macht 17 Mark 20, bitte.

G: Einen Augenblick, bitte. Ich habe kein Kleingeld. Helmut, hast du Kleingeld?

H: Ich habe nur einen Zwanzigmarkschien.

G: Können Sie auf 20 Mark herausgeben?

40 M: Selbstverständlich, gnädige Frau. Da bekommen Sie 2 Mark 80 zurück.

Danke schön. Und hier ist Ihr Wäschezettel. Wiedersehen.

G: Auf Wiedersehen.

H: Was für ein großes Paket bringst du denn da?

G: Das ist die Wäsche, die ich letzte Woche in die Wäscherei geschickt habe.

05 H: Und dafür hast du 17 Mark 20 bezahlt! Gisela, wir dürfen nicht so viel
Geld für die Wäsche ausgeben. Zeig mir mal den Wäschezettel: zwei
Schlafanzüge, sechs Hemden, eine Bluse ... Um Gottes willen!

G: Am teuersten sind deine Hemden.

H: Kannst du sie nicht selbst waschen?

10 G: Doch. Aber so gut wie die Wäscherei kann ich nicht bügeln. Und wenn die
Hemden nicht gut gebügelt sind, ziehst du sie nicht an. Warum trägst du
keine Nylonhemden, die man nicht bügeln muß?

H: Ach, du weißt doch, daß ich sie nicht gern trage. Irgendwie müssen wir
Geld sparen, sonst können wir uns keinen neuen Wagen leisten – und

15 auch keine Ferien. Und diesen Monat ist auch unsere Miete erhöht
worden.

G: Und heute ist die Gasrechnung gekommen.

H: Ach, Gisela, ich will nichts davon wissen! Ich wollte mich heute mal
ausruhen und mir nicht den Kopf über Geld zerbrechen. Die Arbeit

20 im Büro macht mir schon genug Sorgen.

G: Und der Kassenschrankschlüssel, der verschwunden ist, macht dir noch
mehr Sorgen. Stimmt's?

H: Ja. Meine kleine Gisela weiß immer alles.

G: Liebling, aber du weißt nicht alles. Ich muß dir etwas sagen.

25 H: Um Gottes willen! Was ist los?

G: Während du in Hamburg warst, habe ich mich zu Hause so gelangweilt.

H: Und?

G: Und da dachte ich: wenn wir auf Urlaub gehen, mußt du so viel Auto
fahren und hast gar keine Zeit, dich auszuruhen.

30 H: Und weiter?

G: Da sah ich eine Anzeige in der Zeitung: „Lernen Sie bei uns Auto fahren.
Nach zwölf Fahrstunden erhalten Sie Ihren Führerschein!"

H: Und du bist auf diesen Schwindel hereingefallen?

G: Es ist kein Schwindel. Die Anzeige ist von einer sehr guten Fahrschule.

35 Ich habe schon drei Fahrstunden gehabt und habe gelernt, wie man
schaltet.

H: Wer soll das bezahlen? Soviel steht fest: wir können uns keinen neuen
Wagen kaufen. Wenn du damit fährst, ist er in einer Woche bestimmt
kaputt.

ab||liefern	to deliver
die Anzeige(–n)	advertisement, announcement
die Besprechung(–en)	discussion
das Bettuch(¨er)	sheet
bügeln	to iron
ein||laden(ä,u,a)	to invite
erhöhen	to raise, increase
der Führerschein(–e)	driving licence

gefärbt	dyed
heraus|geben(i, a, e) (auf + *acc.*)	to give change (for)
*herein|fallen(ä, ie, a) (auf + *acc.*)	to be taken in (by)
irgendwie	somehow
die Klapperkiste(–n)	old crock (car)
der Liebling(–e)	darling
die Miete(–n)	rent
der Schlafanzug(¨e)	pyjamas
der Schwindel (*no pl.*)	swindle, trick
sparsam	thrifty
die Wäsche	washing, laundry
die Wäscherei(–en)	laundry
der Wäschezettel(–)	laundry list
zufällig	by chance
nötig haben	to need
immer noch	still
Bleib(Bleiben Sie) sitzen!	Don't get up!, Stay where you are!
die Rechnung macht ...	the bill comes to ...
am teuersten	the most expensive thing
sich den Kopf zerbrechen	to rack one's brains

Redensart (Saying)

„Ach, wie schön ist's, nichts zu tun
und nach dem Nichtstun auszuruh'n."

dürfen

dürfen means 'to be allowed to':

- Ich darf Auto fahren.
  I am allowed to drive a car.

It often corresponds to 'may':

- Darf ich hereinkommen?
  May I come in?

When used with *nicht* it corresponds to 'must not':

- Sie dürfen hier nicht parken.
  You mustn't park here.

können

können means 'to be able to':

- Sie kann ihren Schlüssel nicht finden.
  She can't find her key.

It can also mean 'to know, to know how to':

- Ich kann Auto fahren.
  I know how to drive.
- Er kann Deutsch.
  He knows (how to speak) German.

mögen   *mögen* means 'to like'. It can be followed by an infinitive, but more often takes a direct object. In the negative it sometimes corresponds to 'don't want':

- Ich mag sie nicht.
  I don't like her.

- Mögen Sie nichts (essen)?
  Don't you want (to eat) anything?

  It sometimes means 'may' in the sense of 'being possible':

- Sie mag recht haben.
  She may be right.

müssen   *müssen* means 'to have to' and conveys the idea of 'being compelled to':

- Ich muß sie besuchen.
  I must visit her.

  In colloquial speech *müssen* without an infinitive can mean 'to have to go':

- Ich muß in die Stadt.
  I have to go into town.

- Er muß morgen nach Hamburg.
  He has to go to Hamburg tomorrow.

sollen   *sollen* means 'to be supposed to' and expresses obligation in the sense of 'to be expected to':

- Ich soll sie anrufen.
  I am supposed to ring her.

- Soll das wahr sein?
  Is that supposed to be true?

  soll ich?, sollen wir? usually means 'shall I, shall we?':

- Was soll ich tun?
  What shall I do? (What am I expected to do?)

wollen   *wollen* means 'to want to, to be willing':

- Ich will einen Brief schreiben.
  I want to write a letter.

  wir wollen is sometimes equivalent to 'let us':

- Wir wollen gehen.
  Let's go.

wollen wir? translates 'shall we?' meaning 'do we want to?':

- Wollen wir ins Kino gehen?
  Shall we go to the cinema?

word order: In a simple sentence the infinitive after *dürfen, können, mögen, müssen, sollen, wollen* stands at the end:

- Sie will sich Strümpfe *kaufen.*
  She wants to buy stockings for herself.
- Ich kann heute nicht *kommen.*
  I can't come today.

In a dependent clause the infinitive comes immediately before the verb:

- Sie geht in die Stadt, weil sie sich Strümpfe *kaufen* will.
  She goes into town because she wants to buy stockings.
- Ich rufe sie an, wenn ich nicht *kommen* kann.
  I'll ring her if I can't come.

Relative pronouns

| | singular | | | plural | |
	M	F	N	all genders	
nom:	der	die	das	die	who, which
acc:	den	die	das	die	whom, which
gen:	*dessen*	*deren*	*dessen*	*deren*	whose, of which
dat:	dem	der	dem	*denen*	to whom, to which

Note that relative pronouns are the same as the definite article, except throughout the genitive and in the dative plural.

Relative pronouns agree in number and gender with the noun they refer to. They can never be omitted as in English:

- Der Mann, *den* ich gestern sah
  The man (whom) I saw yesterday
- Die Frau, *der* ich das Geld gab
  The woman to whom I gave the money
- Die Dame, mit *der* ich auf dem Maskenball tanzte
  The lady with whom I danced at the fancy-dress ball
- Ich kenne den Jungen, *dessen* Motorrad gestohlen wurde.
  I know the boy whose motorcycle was stolen.

word order: In relative clauses the word order is the same as in dependent clauses; the verb stands last:

- Der Hut, den sie *trägt,* ist sehr groß.
  The hat (which) she wears is very big.

Expressions of time

After prepositions the dative is used:

im Sommer	in summer
in ein*er* Stunde	in an hour's time
vor vierzehn Tag*en*	a fortnight ago
am Sonntag	on Sunday
am nächsten Tag	the next day

The accusative is used to express definite time:

- Dies*en* Monat wurde die Miete erhöht.
  The rent was increased this month.

- Wir fahren nächst*en* Sommer in die Schweiz.
  We are going to Switzerland next summer.

The genitive is used to express indefinite time:

Ich werde Sie ein*es* Tag*es* besuchen.
I'll visit you one (fine) day.

word order: Expressions of time come before expressions of place:

	TIME	PLACE
Wir fahren	im Sommer	in die Berge.
Geht er	am Sonntag	ins Kino?

noch

noch means 'still' or 'yet':

- Ist er noch da?
  Is he still there?

- Er hat noch nicht geschrienben.
  He hasn't written yet.

It can also mean 'another, more':

- Möchten Sie noch eine Tasse Tee?
  Would you like another cup of tea?

- Sagen Sie das noch einmal!
  Say that once more.

Difference between *zahlen* and *bezahlen*

zahlen is the general word for 'to pay' and can be used without a direct object.

- Soll ich zahlen?
  Shall I pay?

  Herr Ober, zahlen bitte!
  Waiter, the bill please.

bezahlen has the same meaning, but is usually followed by a direct object:

- Ich bezahle die Rechnung sofort.
  I'll pay the bill at once.

Exercise Translate into German:

1. We are going to Austria in three months time.
2. Darling, you mustn't forget to pay the bill.
3. At fancy-dress balls one may dance with people one doesn't know.
4. I still have enough money to buy a summer dress but I have not yet seen a dress that really suits me.
5. The man who brought the laundry was wearing a dark grey coat.
6. I should like to speak to the gentleman whose daughter I met on the train.

10 | Helmut und Gisela bereiten ihre Reise vor

Fritz: Guten Morgen. Bringen Sie Ihren Wagen zur Reparatur?

Helmut: Nein. Können Sie bitte den Wagen abschmieren und nachsehen, ob alles in Ordnung ist? Wir wollen nächste Woche eine Autotour in die Berge machen.

05 F: Mit dem alten Wagen wollen Sie ins Gebirge fahren? Da wünsche ich Ihnen viel Glück!

H: Danke schön. Der Motor läuft sehr gut, und ich bin im großen und ganzen mit meinem Wagen zufrieden. Aber ab und zu muß er nachgesehen werden. Ich lasse ihn hier und komme in einer Stunde wieder. Länger
10 brauchen Sie doch nicht dazu, nicht wahr?

F: Tut mir leid. Heute geht es nicht. Es ist Samstag, da haben wir sehr viel zu tun. Kommen Sie am Montag!

H: Hören Sie mal, ich habe vor einer Woche mit Ihnen ausgemacht, daß Sie meinen Wagen am Samstagmorgen nachsehen.

15 F: Jetzt habe ich keine Zeit mehr dazu. Es ist schon zwölf Uhr. Um eins mache ich Schluß. Es lohnt sich außerdem nicht, so einen alten Wagen in Ordnung zu bringen. Wenn Sie den mit Koffern beladen, bricht er zusammen. Warum kaufen Sie sich denn keinen schönen Sportwagen wie diesen hier, zum Beispiel? Sehen Sie mal, der hat einen großen
20 Kofferraum, automatische Schaltung, ganz moderne Bremsen ... Mit dem Wagen können Sie jeden überholen.

Niemeyer: Ich sehe, Herr Förster, daß Sie sich für dieses schöne Modell interessieren.

H: Nein, Herr Niemeyer. Gut, daß Sie kommen. Ich habe diesen jungen
25 Mann gebeten, meinen Wagen nachzusehen. Dazu hat er anscheinend keine Zeit, weil heute Samstag ist. Er will mir lieber ein Auto verkaufen. Ich bin jetzt schon seit fünf Jahren Kunde bei Ihnen und habe noch nie Grund gehabt, mich zu beschweren. Heute ist es das erste Mal, daß ich nicht gut bedient werde.

N: Herr Förster, das tut mir aber sehr leid. Der junge Mann ist unser neuer Lehrling und weiß noch nicht genau, was er zu tun hat.

H: Ich habe es heute sehr eilig. Meine Frau wartet im Reisebüro auf mich.

05 N: Machen Sie sich keine Sorgen! Ich werde gleich mit dem jungen Mann sprechen. Ihr Wagen wird in einer halben Stunde fertig sein. Fritz, kommen Sie mal her! Kümmern Sie sich sofort um diesen Wagen! Kontrollieren Sie die Bremsen, prüfen Sie den Reifendruck, und sehen Sie, was sonst noch zu machen ist . . .

* * *

Dame im Reisebüro: Kann ich Ihnen behilflich sein, gnädige Frau?

10 *Gisela:* Mein Mann und ich wollen nächste Woche eine Reise nach Bayern und Österreich machen.

D: Wollen Sie eine Fahrt durch das Donautal machen? Wir können Ihnen Plätze für eine Dampferfahrt reservieren.

G: Nein, wir fahren mit unserem Wagen.

15 D: Dann fahren Sie doch die Romantische Straße.

G: Die Romantische Straße – das klingt ja herrlich.

D: Sie führt durch eine der schönsten Gegenden Deutschlands. Ich gebe Ihnen einen Prospekt. Sehen Sie, unterwegs können Sie romantische alte Städtchen wie Rothenburg und Dinkelsbühl besuchen . . .

20 G: Helmut, da bist du ja endlich! Hör mal. Die Dame hier hat vorgeschlagen, daß wir die Romantische Straße fahren sollen. Ist das nicht eine gute Idee?

H: Ja, wenn wir das mit unserer Fahrt nach München und Salzburg verbinden können.

D: Das ist ganz einfach. Die Romantische Straße führt nach Augsburg. Von
25 Augsburg nach München fahren Sie die Autobahn. Wenn Sie wollen, bereite ich Ihnen einen Reiseplan vor und reserviere Ihnen Hotelzimmer.

H: Ja, bitte.

D: Ich muß Sie nur auf etwas aufmerksam machen. Es wird sehr schwierig sein, in Salzburg Unterkunft zu finden, wegen der Festspiele.

30 G: Wir wollten so gern zu einer Aufführung.

D: Leider sind die Karten schon seit Wochen ausverkauft.

G: Dann hat es keinen Sinn hinzufahren.

D: Warum fahren Sie nicht nach Wien?

G: Wien! Die Stadt an der schönen blauen Donau!

35 H: Dahin wollten wir doch unsere Hochzeitsreise machen. Aber damals hatten wir nicht genug Geld, weißt du noch?

G: Ach ja, und unsere Pässe hatten wir auch vergessen! Na, vielleicht kommen wir diesmal hin.

H: Komm, wir müssen den Wagen abholen.

* * *

40 *Fritz:* So, da ist Ihr Auto. Ich habe alles nachgesehen.

H: Danke schön. Ist alles in Ordnung?

F: Sie brauchen neue Zündkerzen, die Bremsen sind schlecht, die Reifen sind abgefahren, der Motor zieht nicht richtig . . .

G: Helmut, mit dem Wagen kommen wir nie nach Wien.

45 H: Unsinn! Der junge Mann sagt das nur, weil er uns einen neuen Wagen verkaufen will.

58

ES GEHT WEITE

ERRATUM

Page 56, line 26

For geschrienben,

abgefahren	worn-out (of tyres)
ablschmieren	to grease
belạden(ä, u, a)	to load
die Festspiele(*pl.*)	festival (cultural)
der Grund(ᵂe)	reason
die Hochzeitsreise(–n)	honeymoon
klingen (–, a, u)	to sound
der Kofferraum(ᵂe)	boot (of car)
kontrollịeren	to check
sich kümmern um	to look after, bother about
der Lehrling(–e)	apprentice
prüfen	to examine, test
der Reifen(–)	tyre
der Reifendruck	tyre pressure
die Reparatụr(–en)	repair
die Schaltung(–en)	gear-change
die Unterkunft(ᵂe)	accommodation
verbịnden(–, a, u)	to connect, combine
verkạufen	to sell
vorlbereiten	to prepare
vorlschlagen(ä, u, a)	to suggest
*zusạmmenlbrechen(i, a, o)	to collapse, break down

im großen und ganzen	on the whole
ab und zu	now and then
etwas auslmachen (mit)	to arrange something (with someone)
Schluß machen	to finish, knock off
es lohnt sich nicht	it isn't worth while
zum Beispiel (z.B.)	for example (e.g.)
Kann ich Ihnen behilflich sein?	Can I help you?
aufmerksam machen auf (+ *acc.*)	to draw attention to
es hat keinen Sinn	there is no point
ich weiß noch	I remember

Revision of cases

nominative: This is the case of the subject and answers the question 'who?' (*wer?*) or 'what?' (*was?*):

der Mann ⎫
die Frau ⎬ ist schön.
das Haus ⎭

genitive: This indicates possession and answers the question 'whose?' (*wessen?*):

der Hut ⎧ des Mannes
⎨ der Frau
⎩ des Mädchens

It is also used after some prepositions, e.g. *wegen, während, trotz*:

wegen des Regens
während unserer Ferien

dative: This is the case of the indirect object and answers the question 'to whom?' (*wem?*):

Ich gebe es { dem Mann / der Frau / dem Mädchen

It is also used after some prepositions, e.g. *aus, bei, mit, nach, von, zu*:

aus dem Garten
mit seiner Frau
von unseren Kindern

Some verbs are used with the dative only, e.g. *danken* (to thank), *folgen* (to follow), *helfen* (to help), *gratulieren* (to congratulate), *gefallen* (to please):

Ich danke Ihnen.
Er hilft seiner Frau.
Folgen Sie mir!

accusative: This is the case of the direct object and answers the question 'whom?' (*wen?*) or 'what?' (*was?*):

Ich sehe { den Mann / die Frau / das Haus

It is also used with some prepositions, e.g. *durch, für, ohne, um*:

durch den Garten
für seine Frau
ohne unsere Kinder

(For prepositions which take the accusative or dative see Lesson 11.)

word order: When the direct object (accusative) is a noun, it comes *after* the indirect object (dative):

	DATIVE	ACCUSATIVE
Ich schicke	meinem Bruder	einen Brief.
Ich schicke	ihm	einen Brief.

When the direct object (accusative) is a pronoun, it comes *before* the indirect object (dative):

	ACCUSATIVE	DATIVE
Ich schicke	ihn	meinem Bruder.
Ich schicke	ihn	ihm.

Der Werwolf

Extracts from a poem
by Christian Morgenstern

Ein Werwolf eines Nachts entwich
von Weib und Kind und sich begab
an eines Dorfschullehrers Grab
und bat ihn: „Bitte, beuge mich! . . .“

„*Der Wer*wolf“, sprach der gute Mann,
„*Des Wes*wolfs, Genitiv sodann,
„*Dem Wem*wolf, Dativ wie man's nennt,
„*Den Wen*wolf – damit hat's ein End'.“

Dem Werwolf schmeichelten die Fälle,
er rollte seine Augenbälle . . .

this, that

dieser usually translates both 'this' and 'that'.
To make a distinction *hier* is often added if
the person or thing is near, *dort* if it is further away:

- Dieser Mantel hier gefällt mir.
  I like this coat.
- Dieser dort ist nicht so schön.
  That one over there is not as nice.

In colloquial speech the definite article often
replaces *dieser*:

- Mit *dem* alten Wagen wollen Sie fahren?
  Do you want to go with that old car?
- *Den* großen Koffer will er mitnehmen.
  He wants to take that big suitcase.

hin and her

hin (there) and *her* (here) can be used as
separable prefixes or added to existing ones,
such as *ab–, auf–, aus–, ein–, unter–*.

hin indicates movement away from the speaker:

- Wollen wir hingehen?
  Shall we go there?
- Er ging die Treppe hinauf.
  He went upstairs.

her indicates movement towards the speaker:

- Kommen Sie bitte her!
  Please come here.
- Er kam die Treppe herunter.
  He came downstairs.

hin and *her* can be joined to *da, dort, hier, wo*:

- Wohin fahren Sie?
  Where are you going to?
- Woher kommt der Zug?
  Where does the train come from?
- Kommen Sie bitte hierher!
  Please come here.

Difference between
wenn and ob
Both *wenn* and *ob* can mean 'if', but *ob* must be used wherever the sense of the English is 'whether':

- Wir kommen, *wenn* das Wetter schön ist.
  We shall come if the weather is fine.
- Ich weiß nicht, *ob* er heute kommt.
  I don't know if (whether) he is coming today.

Exercises

(*a*) Translate into German:

1. We haven't found out yet who stole the money.
2. With whom were you dancing at the ball?
3. Whose car is standing in front of my house?
4. Where did the man to whom she spoke on the aeroplane come from?
5. Here is my wife's passport. Please give it back to her.

(*b*) *wenn* or *ob*? Complete the following sentences and then translate into English:

1. Ich weiß nicht, . . . ich Zeit haben werde, zum Friseur zu gehen.
2. Wir können zum Ausverkauf gehen, . . . Sie Lust haben.
3. . . . es Ihnen recht ist, rufe ich Sie morgen an.

11 | Helmut ist krank

Bitterich: Soll ich Ihnen eine Tasse Tee machen, Herr Förster? Tee tut Ihnen bestimmt gut.

Helmut: Nein, danke, Frau Bitterich. Ich will lieber warten, bis der Arzt kommt. Ich weiß nicht, was mit mir los ist.

05 B: Ist Ihnen schlecht?

H: Ach, ich fühle mich gar nicht wohl und habe schreckliche Kopfschmerzen.

B: Ihre Frau ist gerade in die Apotheke gegangen, um Aspirin für Sie zu kaufen. Sie wird bald zurückkommen. Dann nehmen Sie zwei Tabletten
10 und die Kopfschmerzen werden im Nu weg sein. Bleiben Sie im Sessel sitzen und lesen Sie ein schönes Buch.

H: Ich habe keine Lust zu lesen.

B: Ich stelle das Radio neben Sie. Hören Sie der Musik zu. Dann haben Sie nette Unterhaltung. . .

> „Ich bin von Kopf bis Fuß
> auf Liebe eingestellt,
> denn das ist meine Welt
> und sonst gar nichts."

05
> „Das ist, was soll ich machen,
> meine Natur:
> ich kann halt lieben nur
> und sonst gar nichts."

B: Ach, das ist ja das Lied aus dem „Blauen Engel". Das war ein schöner
10   Film. Der erinnert mich an meine Jugend ...

> „Ich bin von Kopf bis Fuß
> auf Liebe eingestellt,
> ich kann halt lieben nur
> und sonst gar nichts."

15 *Ansager:* Sie hörten „Ich bin von Kopf bis Fuß auf Liebe eingestellt",
      gesungen von Marlene Dietrich. Und damit, meine Damen und Herren,
      ist unser heutiges Unterhaltungskonzert beendet. Es ist 12 Uhr 30. Sie
      hören Nachrichten. Bonn: Die Parlamentsdebatte über Außenpolitik
      wurde heute fortgesetzt. In einer kurzen Rede sagte der Außenminister,
20   daß er zu weiteren Besprechungen mit seinen ausländischen Kollegen
      bereit sei. Hamburg: Zwei türkische Matrosen sind an Typhus erkrankt.
      Damit ist die Zahl der Typhusfälle auf zehn gestiegen...

B: Was ist denn los, Herr Förster? Warum stellen Sie das Radio ab?

H: Haben Sie gehört, was der Ansager gesagt hat? Zwei Matrosen seien in
25   Hamburg an Typhus erkrankt.

B: Na ja. Hamburg ist eine Hafenstadt. Da gibt es alles. Von der Grippe bis
    zur Pest.

H: Machen Sie keine dummen Witze. Ich war erst vor ein paar Tagen in
    Hamburg und war auch in einer Hafenkneipe. Es waren viele Matrosen
30   dort. Vielleicht ...

B: Herr Förster, Sie haben doch keinen Typhus. Wie können Sie nur so
    etwas denken! Da hat man hohes Fieber. Außerdem sehen Sie gar nicht
    sehr krank aus. Aber messen Sie lieber Ihre Temperatur. Man weiß nie.
    Ich hole Ihnen das Thermometer. Wenn Ihre Temperatur höher als 37
35   ist, müssen Sie sich ins Bett legen.

H: Hatschi! (*sneezes*)

B: Gesundheit! Sie niesen ja. Sie haben einen Schnupfen.

H: Hatschi! (*sneezes again*)

B: Gesundheit! So, da ist das Thermometer. Tun Sie es zehn Minuten unter
40   den Arm und bleiben Sie ganz ruhig sitzen! Wollen Sie wieder Radio
    hören? Wenn mein Sohn zu Hause ist, ist bei uns das Radio den ganzen
    Tag an. Er hört sich immer die neuesten Schlager an.

H: Ist das Ihr Sohn Joachim?

B: Ja.

45 H: Er hat ein Motorrad, nicht wahr?

B: Er hat eins und hat doch keins.

H: Was soll das heißen?

B: Das heißt, er hat ein Motorrad, aber im Augenblick hat er es nicht. Gott
    sei Dank!

H: Das verstehe ich nicht. Vielleicht habe ich doch Fieber.

B: Ich erkläre es Ihnen, aber erzählen Sie es nicht weiter. Vor ein paar Wochen war Joachim abends mit seiner Freundin im Kino. Er ist erst nach Mitternacht nach Hause gekommen. Er hat gesagt, er sei zu Fuß gegangen, sein Motorrad sei verschwunden. Jemand habe es gestohlen.

H: Wirklich?

B: Und jetzt hat er Angst, es der Polizei zu sagen, denn er hat keinen Führerschein . . . Ah, eben kommt der Arzt. Herr Förster, ich muß gehen. Auf Wiedersehen. Gute Besserung!

H: Danke . . . Gut, daß Sie kommen, Herr Doktor.

Arzt: Wie geht es unserem Patienten?

H: Ich messe gerade meine Temperatur.

A: Zeigen Sie mir bitte das Thermometer. 36,6 – Ihre Temperatur ist normal.

H: Gott sei Dank!

A: Lassen Sie mich Ihren Puls fühlen. Ganz regelmäßig. Schlafen Sie gut?

H: Nein, ich schlafe sehr schlecht und habe morgens immer Kopfschmerzen.

A: Sie sind überarbeitet. Außerdem haben Sie eine leichte Erkältung.

H: Ich kann es mir nicht leisten, krank zu sein. Wir wollen am Montag auf Urlaub gehen. Vorher habe ich noch viel zu erledigen.

A: Mein lieber Herr Förster, es ist viel wichtiger, daß Sie schnell wieder auf den Beinen sind. Ich verschreibe Ihnen ein gutes neues Mittel. Hier ist das Rezept. Nehmen Sie jeden Morgen und jeden Abend eine Tablette! Sie müssen sich drei Tage lang ausruhen und die Arbeit vergessen.

H: Ach, das ist leichter gesagt als getan!

ablstellen	to turn off
der Ansager(–)	announcer
die Apotheke(–n)	chemist's
der Außenminister(–)	foreign minister
die Außenpolitik	foreign policy, foreign affairs
die Erkältung(–en)	cold
erkranken	to fall ill
das Fieber	fever, temperature
fortlsetzen	to continue
(sich) fühlen	to feel
die Grippe (*no pl.*)	influenza
das Lied(–er)	song
messen(i, a, e)	to measure, take (of temperature)
die Nachrichten(*pl.*)	news
niesen	to sneeze
die Pest	plague
das Rezept(–e)	prescription
der Typhus (*no pl.*)	typhoid fever
die Unterhaltung	entertainment
verschreiben(–, ie, ie)	to prescribe
vorher	beforehand
die Zahl(–en)	number, figure

es ist mir schlecht	I feel sick
im Nu	in a jiffy
bis zu	to, up to
sich ins Bett legen	to go to bed
Gesundheit!	Bless you!
Gott sei Dank!	Thank God!
Gute Besserung!	Get well soon!
auf den Beinen sein	to be on one's feet, up and about

Sprichwort

| Man soll den Teufel nicht an die Wand malen. | *Don't invoke the devil.* |

Present subjunctive

SEIN	HABEN
ich sei	ich hab*e*
du sei*st*	du hab*est*
er, sie, es sei	er, sie, es hab*e*
wir sei*en*	wir hab*en*
ihr sei*et*	ihr hab*et*
Sie, sie sei*en*	Sie, sie hab*en*

All other verbs, both weak and strong, form the present subjunctive by adding the same endings to the stem as *haben*, e.g.:

werden: ich werd*e*, du werd*est*, er werd*e*, etc.
wollen: ich woll*e*, du woll*est*, er woll*e*, etc.

Subjunctive in reported speech

The subjunctive is used in reporting someone else's statement. Where the original statement is in the present tense, the present subjunctive can be used even when English has the past tense:

original statement: Er sagt: „Ich bin reich."
reported statement: Er sagt, er *sei* reich (daß er reich *sei*).
He says (that) he is rich.

original statement: Sie sagte: „Ich habe keine Zeit."
reported statement: Sie sagte, sie *habe* keine Zeit (daß sie keine Zeit *habe*).
She said she hadn't any time.

original statement: Er schreibt: „Ich will verreisen."
reported statement: Er schreibt, er *wolle* verreisen (daß er verreisen *wolle*).
He writes that he wants to go away.

R—E

an, auf, hinter, in, neben, über, unter, vor, zwischen

These prepositions take the accusative when the verb indicates movement towards something or someone, and the phrase answers the question 'where to?' (*wohin?*):

- Sie ist in *die* Apotheke gegangen.
  She went to the chemist's.
- Ich stelle das Radio neben *ihn*.
  I put the radio next to him.
- Er geht *ans* Fenster.
  He goes to the window.
- Ich lege die Zeitung auf *den* Tisch.
  I put the newspaper on the table.

They are followed by the dative when the verb implies no movement, and the phrase answers the question 'where?' (*wo?*):

- Sie war in *der* Apotheke.
  She was at the chemist's.
- Das Radio steht neben *ihm*.
  The radio stands next to him.
- Er sitzt *am* Fenster.
  He is sitting by the window.
- Die Zeitung liegt auf *dem* Tisch.
  The newspaper is lying on the table.

einer, keiner, meiner

ein and *kein* can be used without a noun in the sense of 'one (of)' and 'none (of)', 'not ... any (of)'. They take the same endings as the indefinite article, except that they add *–er* in the masculine nominative and *–(e)s* in the neuter nominative and accusative:

- *Einer* der Matrosen war krank.
  One of the sailors was ill.
- Ich habe *keinen* von ihnen gekannt.
  I knew none of them.
- Hat er Geld? Nein, er hat *keins*.
  Has he any money? No, he hasn't any.
- *Eins* steht fest.
  One thing is certain.

mein, dein, sein, etc., without a noun mean 'mine, yours, his, hers', etc. They follow the same pattern as *ein, kein*:

- Ist das Ihr Hut? { Ja, das ist *meiner*.
                    { Nein, das ist *Ihrer*.

  Is that your hat? { Yes, it's mine.
                    { No, it's yours.

Pronunciation of y The letter *y* occurs only in words of foreign origin, and is usually pronounced *ü*:

Typhus = 'Tüfus' typisch = 'tüpisch'

Difference between zuhören and sich anhören *zuhören* has the sense of 'to listen to someone or something' attentively. It takes the dative:

- Wir hörten seiner Rede zu.
  We listened to his speech.
- Bitte hören Sie mir zu.
  Please listen to me.

Note that 'to listen to the radio' is simply: *Radio hören.*

sich (etwas) anhören means 'to listen to', 'to go to hear something' for the sake of interest or enjoyment:

- Er hört sich die neuesten Schlager an.
  He listens to the latest pop songs.
- Ich möchte mir das Konzert anhören.
  I should like to (go and) hear the concert.

Exercises (*a*) Complete the sentences:

1. Bleiben Sie . . . Zimmer.
2. Ich habe den Schlüssel . . . Schlüsselloch gesteckt.
3. Neben . . . Museum steht eine Kirche.
4. Wir dürfen auf . . . Autobahn nicht halten.
5. Er hängt das Bild an . . . Wand.
6. London liegt an . . . Themse.

(*b*) Put into indirect speech:

1. Er sagte: „Ich werde morgen kommen."
2. Mein Freund schreibt: „Ich bin krank und muß im Bett liegen."
3. Der Arzt sagt: „Herr Förster hat kein Fieber."

(*c*) Translate:

He introduced me to his friends. One of them knew my wife. He had met her at one of the fancy-dress balls. I invited him to visit us on Sunday. He accepted the invitation with pleasure.

67

12 Helmut und Gisela in Heidelberg

Gisela: Was wollen wir uns nun in Heidelberg ansehen, Helmut? Die alte Universität und das Museum haben wir schon gesehen.

Helmut: Das Schönste fehlt noch – das Heidelberger Schloß, da oben auf dem Berg.

05 G: Wollen wir zu Fuß gehen? Es kommt mir vor, als ob die Straße für unser altes Auto ein bißchen zu steil sei.

H: Du meinst, den Berg hinaufzuklettern sei für uns leichter als für unsere Klapperkiste. Zu Fuß zu gehen wird bei diesem heißen Wetter sehr anstrengend sein. „Ruhen Sie sich ja gut aus!" hat der Arzt bei seinem
10 letzten Besuch zu mir gesagt.

G: Ich weiß, was wir machen. Wir nehmen die Bergbahn. Da drüben ist die Station!

*   *   *

Stimme: Station Schloß.

H: Da sind wir ja schon. Das ging schnell.

15 G: Sieh mal, was man von hier oben für eine schöne Aussicht auf die Stadt und das Tal hat. Wie romantisch das Schloß aussieht!

H: Komm, wir wollen es uns ansehen. Dort stehen so viele Leute. Sicher wird bald eine Führung beginnen.

G: Führungen sind immer so langweilig.

20 H: Es kommt darauf an. Wir können ja weggehen, wenn wir uns langweilen.

G: Also gut, schließen wir uns der Führung an.

Führer: Willkommen im Heidelberger Schloß, meine Damen und Herren! Welcome, ladies and gentlemen. Wie ich sehe, hat sich uns eine amerikanische Reisegruppe angeschlossen. Ich werde Ihnen erst alles auf
25 deutsch erklären und es dann ins Englische übersetzen. Also, meine Herrschaften, wollen Sie bitte näher kommen! Sie stehen hier vor der größten und berühmtesten Schloßruine Deutschlands. Das Schloß wurde im 13. Jahrhundert begonnen. Aber ich will Sie nicht mit deutscher Geschichte langweilen, sondern Ihnen gleich den interessanten Schloßkeller zeigen.

30 H: Nun, Gisela, langweilst du dich?

G: Nein, noch nicht. Aber wenn wir den Schloßkeller gesehen haben, gehen wir weg, nicht wahr?

F: Folgen Sie mir bitte! Vorsicht, hier sind Stufen. Mind the steps!

G: Ach, du lieber Himmel! So ein großes Faß habe ich in meinem ganzen
35 Leben noch nicht gesehen.

F: Ja, gnädige Frau, das Faß, das vor Ihnen steht, ist das größte Weinfaß Deutschlands. 8 Meter lang, 7 Meter breit. Es gehen mehr als 200 000 Liter Wein hinein. Stellen Sie sich vor, wenn Sie jeden Tag einen Liter trinken, wird es in 500 Jahren noch nicht leer sein.

68

Tourist: Ist noch ein bißchen Wein für uns darin?

F: Nein, leider nicht. Und nun, meine Damen und Herren, sehen Sie sich bitte diese Figur an. Das ist der berühmte Hofnarr Perkeo – ein kleiner Mann mit großem Durst.

05 T: Es war wohl der Hofnarr, der das Faß leergetrunken hat!

F: Es wird erzählt, daß er jeden Abend drei Liter Wein getrunken habe.

T: Donnerwetter!

F: Und dann habe er seine besten Witze gemacht. Wenn Sie übrigens nach der Führung Durst haben, gehen Sie ins Schloßrestaurant. Dort gibt es
10 einen guten Tropfen.

G: Wollen wir gleich hingehen?

H: Wir wollten doch einen Spaziergang zum Aussichtsturm machen.

* * *

G: Glaubst du, dieser Waldweg da führt zum Aussichtsturm?

H: Ich will mal diese zwei jungen Männer fragen. Entschuldigen Sie bitte,
15 können Sie uns sagen, ob wir hier auf dem richtigen Weg zum Aussichts- turm sind?

Student: Ja, wir sind auch auf dem Weg dorthin.

G: Sind Sie auch auf Urlaub?

S: Nein, wir studieren hier. Aber man kann ja nicht immer hinter den
20 Büchern sitzen. Es ist heute viel zu heiß zum Arbeiten.

G: Es ist schwül heute mittag. Oh, diese Schnaken! Au! Eben hat mich schon wieder eine gestochen!

S: Darf ich Ihnen eine Zigarette anbieten? Das Rauchen vertreibt die Schnaken.

25 G: Oh, vielen Dank. Eine gute Idee. Ich habe schon so viele Schnakenstiche.

S: Einen Augenblick. Ich kann mein Feuerzeug nicht finden. Können Sie mir Feuer geben?

H: Hier sind Streichhölzer. Bitte schön!

G: Danke . . .

30   „Das Wandern ist des Müllers Lust,
        das Wandern ist des Müllers Lust, das Wandern."

G: Wer singt denn da so schön?

H: Das werden Studenten sein.

35   „Das muß ein schlechter Müller sein,
        dem niemals fiel das Wandern ein,
        dem niemals fiel das Wandern ein, das Wandern."

H: Sie gehen anscheinend den gleichen Weg wie wir.

S: Sehen Sie die dicken, schwarzen Wolken da hinten am Himmel?

H: Ja. Glauben Sie, daß es ein Gewitter gibt?

40 S: Ja. Ein Gewitter kommt oft ganz plötzlich, besonders wenn es so schwül ist wie heute.

H: Gisela, der junge Mann meint, es gebe bald ein Gewitter. Was wollen wir machen?

G: Am besten gehen wir auf dem schnellsten Weg in die Stadt zurück.

H: Es blitzt ja schon.

G: Jetzt fängt es auch an zu regnen. Gut, daß wir Regenmäntel mitgenommen haben. Die Studenten kehren auch um.

05

„Vom Wasser haben wir's gelernt,
vom Wasser haben wir's gelernt, vom Wasser.

Das hat nicht Ruh' bei Tag und Nacht,
ist stets auf Wanderschaft bedacht,
ist stets auf Wanderschaft bedacht, das Wasser."

sich an|schließen(–,o,o) (+ *dat.*)	to join
der Aussichtsturm(–̈e)	look-out tower
die Bergbahn(–en)	mountain railway
berühmt	famous
breit	wide, broad
das Faß(–̈sser)	barrel
das Feuerzeug(–e)	lighter
der Führer(–)	guide
die Führung(–en)	guided tour
der Hofnarr(–en *w.*)	court jester
der Keller(–)	cellar
*klettern	to climb
langweilig	boring
leer	empty
das Schloß(–̈sser)	castle
die Schnake(–n)	gnat, midge
der Schnakenstich(–e)	gnat-bite
schwül	sultry, close
stechen(i, a, o)	to sting
steil	steep
das Streichholz(–̈er)	match
die Stufe(–n)	step
übersetzen	to translate
die Wolke(–n)	cloud

es kommt mir vor	it seems to me
ein bißchen	a bit
das ging schnell	that was quick
willkommen in (+ *dat*)	welcome to
auf deutsch	in German
ins Englische	into English
es geht(gehen) . . . hinein	you can put . . . into it
Donnerwetter!	good heavens!
ein guter Tropfen	a good drop (of wine)
hinter den Büchern sitzen	to sit over one's books
Können Sie mir Feuer geben?	Can you give me a light?

Other uses of the present subjunctive

The subjunctive indicates doubt or probability, and shows that something may or may not be true. It is used after verbs of thinking and feeling when uncertainty is implied:

- Er meint, es sei besser mit dem Auto zu fahren.
  He thinks it may be better to go by car.
- Sie glaubt, daß er nicht recht habe.
  She believes that he may be wrong.
- Er dachte, Sie seien verreist.
  He thought you had gone away.
- Sie fürchtet, daß ihm etwas passiert sei.
  She is afraid that something may have happened to him.

Note that the subjunctive is rarely used after *ich glaube, ich denke, ich fürchte*:

- Ich glaube, es gibt morgen gutes Wetter.
  I believe the weather is going to be fine tomorrow.

als ob and *als wenn* (as if, as when) are always followed by the subjunctive:

- Es kommt mir vor, als ob es bald ein Gewitter *gebe*.
  It looks to me as if there might be a thunderstorm soon.

phrases:
- Es lebe die Königin.
  Long live the queen.
- Es koste, was es wolle.
  Whatever it may cost.
- Gott sei Dank.
  Thank God.
- Man nehme täglich eine Tablette.
  Take one tablet a day.

Comparison of adjectives

	COMPARATIVE	SUPERLATIVE	
schön:	schön*er*	am schön*sten*	der schön*ste*
breit:	breit*er*	am breit*esten*	der breit*este*

Most adjectives follow the pattern of *schön* or *breit*. Some adjectives of one syllable add an *Umlaut* in the comparative and superlative:

warm:	wärmer	am wärmsten	der wärmste

irregular:

hoch:	höher	am höchsten	der höchste
nah:	näher	am nächsten	der nächste
gut:	besser	am besten	der beste
viel:	mehr	am meisten	der meiste

71

'as . . . as' is translated by *so . . . wie*:

- Er ist so groß wie ich.
  He is as tall as I.

'than' after the comparative is *als*:

- Er ist größer als ich.
  He is taller than I.

The superlative with *am* is used when no noun follows:

- Diese Bilder sind am schönsten.
  These pictures are the nicest.
- Dieses Kleid gefällt mir am besten.
  I like this dress best.

das + adjective

das + adjective used as a noun expresses a general idea:

- Das Gute daran ist . . .
  The good thing about it is . . .
- Das Schönste kommt noch.
  The nicest thing is still to come.
- Haben Sie schon das Neueste gehört?
  Have you heard the latest?

oben, unten, hinten, drüben

oben (above), *unten* (below), *hinten* (behind), *drüben* (on the other side) can be combined with *hier* (here), *da* (there), and *dort* (over there):

hier oben (up here)	da oben (up there)	dort oben (right up there)
hier unten (down here)	da unten (down there)	dort unten (right down there)
hier hinten (here at the back)	da hinten (there at the back)	dort hinten (over there at the back)
	da drüben (over there)	dort drüben (right over there)

'over here' is usually rendered by *hier* + indication of place:

- hier in England
  over here (in England)

Difference between *nun* and *jetzt*

jetzt means 'now, at this moment':
Jetzt scheint die Sonne.
Now the sun is shining.

- Wir gehen jetzt.
  We are going now.

nun also means 'now', but is less definite:

- Was machen wir nun?
  What are we going to do now (next)?

It often corresponds to 'well now':

- Nun, wie gefällt Ihnen Wien?
  Well now, how do you like Vienna?

Exercises

(*a*) Complete these sentences, using *sein* or *haben*:

1. Ich dachte, Sie . . . zu Fuß gegangen.
2. Ich glaube nicht, daß wir auf dem richtigen Weg . . .
3. Sie meint, er . . . sein ganzes Geld verloren.
4. Es sieht aus, als ob sie nicht zu Hause . . .

(*b*) Translate:

1. My brother is older than I, but my sister is younger than my brother.
2. You get the best wine in the restaurant over there.
3. Can you translate this letter into German?
4. Where is your mother now? Is she in Germany or over here?

Zungenbrecher   Thomas trank tausend Tropfen Tee.

Kreuzworträtsel

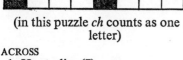

(in this puzzle *ch* counts as one letter)

ACROSS

1. He studies (7)
5. Prefix with a negative meaning (2)
6. Preposition (2)
8. Town in Bavaria (3)
10. Girl's name (4)
12. There or then (2)
13. However (5)
14. Her (before a feminine noun) (4)
15. see 17 across
17. and 15: At eleven (2, 3)
18. Definite article (3)
20. Who? (3)
21. see 23 across
22. In front of (3)
23. and 21: Ring up! (to a close friend) (3, 2)

DOWN

1. Studies (7)
2. You (to a close friend) (2)
3. End (4)
4. Part of Austria (5)
7. After five (3, 4)
9. Lame (4)
11. Or (4)
13. Every (5)
19. He (2)
20. Where? (2)
21. You might say it if you were hurt (2)

73

13 Helmut und Gisela in Rothenburg

Gisela: Wer hat uns eigentlich den guten Rat gegeben, die Romantische
Straße zu fahren?

Helmut: Die Dame im Reisebüro. Sie hat gesagt, daß sie durch eine der
schönsten Gegenden Deutschlands führe. Ich muß sagen, sie hat recht
05 gehabt. Rothenburg ist so ein malerisches Städtchen. Man meint, man
wäre im Mittelalter.

G: Am liebsten würde ich eine Woche in Rothenburg bleiben. Könnten wir
hier nicht übernachten und erst morgen weiterfahren?

H: Ich würde auch ganz gern länger hierbleiben. Dann hätten wir heute
10 nachmittag Zeit, einen Bummel durch die Stadt zu machen.

G: Und ich könnte ein paar schöne Aufnahmen machen. Wo habe ich
eigentlich meinen Fotoapparat?

H: Du hast ihn gestern abend in deinen Koffer gepackt, weil du keinen Film
mehr hattest.

15 G: Stimmt. Da muß ich schnell in ein Fotogeschäft gehen und mir einen
Farbfilm kaufen.

H: Inzwischen will ich sehen, ob wir noch ein Hotelzimmer bekommen
können.

* * *

H: Sind Sie der Empfangschef?

20 *Empfangschef:* Ja. Was wünschen Sie?

H: Ich hätte gern ein Doppelzimmer für meine Frau und mich.

E: Für wie lange?

H: Nur für heute nacht.

E: Heute haben wir nur noch ein Einzelzimmer mit Bad frei. Es tut mir
25 schrecklich leid. Versuchen Sie es doch im Hotel da drüben.

H: Vielen Dank. Darf ich mein Auto vor Ihrem Hotel stehenlassen? Ich
habe nämlich mit meiner Frau verabredet, daß wir uns hier treffen.

E: Bitte. Eigentlich ist das Parken in dieser Straße verboten, aber im großen
und ganzen ist die Polizei hier nicht sehr streng.

* * *

30 E: Nun, haben Sie noch ein Zimmer bekommen?

H: Ja, danke. Wo ist denn mein Wagen? Er ist verschwunden.

E: Eine Dame ist damit weggefahren. Ich dachte, es wäre Ihre Frau.

H: Meine Frau hat erst letzte Woche ihren Führerschein erhalten. Sie kann
noch nicht sehr gut fahren. Wie sah die Dame aus?

35 E: Jung, schlank, blond. Wenn ich mich recht erinnere, hatte sie ein hell-
blaues Sommerkleid an.

H: Ja, das muß meine Frau gewesen sein. Ich kann mir gar nicht denken,
was passiert ist.

E: Setzen Sie sich doch einen Augenblick in die Halle, und warten Sie auf sie! Sie wird bestimmt hierher zurückkommen. Die Dame, die eben hereinkommt, ist das nicht Ihre Frau?

H: Gisela, was fällt dir ein, mit dem Auto einfach wegzufahren?

05 G: Was hätte ich sonst machen sollen? Ein Polizist kam auf mich zu und fragte mich, ob das mein Wagen sei. Er sagte, in dieser Straße sei das Parken verboten. Da blieb mir nichts anderes übrig, als wegzufahren, sonst hättest du eine Geldstrafe bekommen.

H: Und wo steht der Wagen jetzt?

10 G: Ich habe ihn mit Müh und Not in einem ganz engen Sträßchen geparkt. Zweimal blieb der Motor stehen. Ach, ich bin ganz erledigt.

E: Wollen die Herrschaften nach dieser Aufregung nicht etwas essen?

G: Das ist eine gute Idee.

E: Darf ich Sie zum Speisesaal führen? Wir haben eine sehr gepflegte Küche,
15 und ich hoffe, es wird Ihnen bei uns schmecken. Herr Ober, einen Tisch für zwei Personen. Guten Appetit.

G. und H: Danke schön.

Kellner: Was darf es sein?

H: Die Speisekarte bitte.

20 K: Hier. Bitte sehr.

H: Was können Sie uns empfehlen?

K: Nehmen Sie das Menü zu 4 Mark 50: Erbsensuppe, Schweinebraten mit Salzkartoffeln und grünen Bohnen und als Nachtisch Obstsalat.

G: Ich mache mir nicht viel aus Schweinebraten.

25 K: Hätten Sie gern etwas Bayerisches mit Klößen?

G: Nein, lieber nicht, das ist zu schwer.

K: Wie wäre es mit einem Rippchen mit Sauerkraut? Oder Rindsroulade? Das ist unsere Spezialität. Oder vielleicht etwas Kaltes – kalter Aufschnitt, zum Beispiel?

30 G: Ich hätte lieber etwas Warmes – Rippchen mit Sauerkraut.

H: Und für mich Rindsroulade.

K: Was möchten Sie als Vorspeise? Wir haben Russische Eier, Heringssalat, gefüllte Pasteten, Räucherlachs – was Sie wollen . . .

G: Auf Räucherlachs habe ich große Lust.

35 H: Ich auch.

K: Schön. Zweimal Räucherlachs, einmal Rippchen, einmal Rindsroulade, und was hätten Sie gern als Nachtisch? Frisches Obst, Kompott, Eis mit Schlagsahne?

G: Ich weiß noch nicht. Können wir den Nachtisch später bestellen?

40 K: Aber sicher, gnädige Frau. Was möchten Sie trinken – Wein oder Bier?

H: Gisela, was hättest du gerne?

G: Wein, bitte.

K: Hier ist die Weinkarte. Bitte schön.

G: Ich würde am liebsten einen leichten Weißwein trinken, nicht zu süß und
45 nicht zu herb.

K: Ich bringe Ihnen etwas Ausgezeichnetes – eine schöne Flasche Frankenwein.

die Aufnahme(–n)	photograph, snapshot
das Bad	bath, bathroom
das Doppelzimmer(–)	double room
das Einzelzimmer(–)	single room
der Farbfilm(–e)	colour film
der Fotoapparat(–e)	camera
die Geldstrafe(–n)	fine
inzwischen	meanwhile
malerisch	picturesque
das Menü(–s)	set meal, menu
das Mittelalter	Middle-Ages
die Speisekarte(–n)	menu
der Speisesaal(–säle)	dining-room (in hotel)
*stehenlbleiben(–, ie, ie)	to stop, remain (standing)
stehenllassen (ä, ie, a)	to leave (standing)
streng	strict
verabreden	to arrange (something with someone)
* zulkommen (–,a,o) auf (+ *acc.*)	to come up to

eine Aufnahme machen	to take a picture
Was fällt dir ein?	What has got into your head?
es blieb mir nichts anderes übrig	I had no other choice
mit Müh und Not	with great difficulty
ich bin ganz erledigt	I am quite exhausted
gepflegte Küche	good cuisine
sich etwas machen aus	to like, care for
Wie wäre es mit . . .?	What about . . .?

Sprichwort

Hunger ist der beste Koch. *Hunger is the best cook.*

Speisekarte

VORSPEISEN	HORS-D'OEUVRES
Russische Eier	hard-boiled eggs with mayonnaise, etc.
Gefüllte Pasteten	vol-au-vent
Heringssalat	herring salad
Geflügelsalat	chicken salad
Räucherlachs ⎫ Geräucherter Lachs ⎰	smoked salmon
Geräucherter Aal	smoked eel

SUPPEN	SOUPS
Kraftbrühe ⎫ Fleischbrühe ⎰	consommé
Erbsensuppe	pea soup
Ochsenschwanzsuppe	oxtail soup
Schildkrötensuppe	turtle soup

EIERSPEISEN — EGG DISHES

Gekochte Eier	boiled eggs
Rühreier	scrambled eggs
Verlorene Eier	poached eggs
Spiegeleier	fried eggs
Eier mit Speck	eggs and bacon

FISCH — FISH

Gebackener Fisch	fried fish
Fisch vom Grill	grilled fish
Kabeljau	cod
Scholle	plaice
Schellfisch	haddock
Steinbutt	turbot
Forelle	trout

FLEISCHGERICHTE — MEAT DISHES

Schweinekotelett	pork chop
Schweinebraten	roast pork
Wiener Schnitzel	escalope of veal
Kalbshaxe	knuckle of veal
Kalbsnierenbraten	roast veal stuffed with kidneys
Sauerbraten mit Klößen	braised marinaded beef with dumplings
Rippchen mit Sauerkraut	boiled loin of pork with sauerkraut
Eisbein	boiled salted pig's knuckles
Rindsroulade	braised rolled beef
Frankfurter Würstchen	Frankfurters

GEFLÜGEL — POULTRY

Huhn mit Reis	boiled chicken with rice
Brathuhn	roast chicken
Gebratene Ente	roast duck

KALTES BÜFFET — COLD BUFFET

Gekochter Schinken	ham
Kalter Aufschnitt ⎫ Kalte Platte ⎭	assorted cold meats

GEMÜSE — VEGETABLES

Grüne Bohnen	French beans
Feine Erbsen	garden peas
Spargel	asparagus
Kartoffeln	potatoes
Salzkartoffeln	boiled potatoes
Bratkartoffeln	fried or roast potatoes
Kartoffelbrei	creamed potatoes
Kartoffelklöße	potato dumplings

SALATE — SALADS

Grüner Salat	lettuce salad
Tomatensalat	tomato salad
Kartoffelsalat	potato salad

NACHTISCH	DESSERTS
Obstsalat	fruit salad
Kompott	stewed fruit
Apfelmus	apple purée
Gemischtes Eis	various ices
Portion Schlagsahne	portion of whipped cream

German wines The best German wines are white wines. They are chiefly grown in the Rhine valley (*Rheinwein*), the Moselle valley (*Moselwein*) and Franconia (*Frankenwein*). Details of the origin of a wine can usually be found on the label, e.g.:

1959 (vintage)	Niersteiner (name of town or village)	Schloßberg (name of vineyard)	Riesling (type of grape)

Other details which appear on German wine labels:

Spätlese	late gathering
Auslese	selected gathering
naturrein	natural wine, i.e. no sugar added

The best known Rhine wines come from Nierstein, Rüdesheim, Oppenheim, Kreuznach, Johannisberg, Hattenheim, Deidesheim and Hochheim (from which the word 'hock' is derived). Rhine wines are sometimes labelled *Liebfraumilch*, which is a fancy name and gives no details of the wine's origin.

Moselwein is usually lighter and drier than *Rheinwein*. Some of the best known wines come from Bernkastel, Piesport, Brauneberg and Wehlen.

Frankenwein or *Steinwein* is dry and earthy. It has a special kind of bottle called a *Bocksbeutel*.

Wines are described as:

süß	sweet	leicht	light
herb	} dry	schwer	heavy
trocken			

Guten Appetit It is customary in German-speaking countries to wish someone sitting down to a meal *Guten Appetit* (good appetite). The usual reply is *danke gleichfalls* (the same to you). A more familiar expression is *Mahlzeit* (short for *gesegnete Mahlzeit*) which means roughly 'I hope you'll enjoy your meal.'

Past subjunctive

For all verbs the endings of the past subjunctive are the same as for the present subjunctive. Strong and irregular verbs add these to the first person singular of the past tense, and where possible take an *Umlaut*:

	PAST TENSE	PAST SUBJUNCTIVE
sein	ich war	ich wäre (would be)
haben	ich hatte	ich hätte (would have)
werden	ich wurde	ich würde (would)
können	ich konnte	ich könnte (could)
mögen	ich mochte	ich möchte (would like)
kommen	ich kam	ich käme (would come)
gehen	ich ging	ich ginge (would go)

past subj. of *sein*		past subj. of *haben*	
ich	wäre	ich	hätte
du	wärest	du	hättest
er, sie, es,	wäre	er, sie, es	hätte
wir	wären	wir	hätten
ihr	wäret	ihr	hättet
Sie, sie	wären	Sie, sie	hätten

The past subjunctive of weak verbs is the same as the past indicative; to make a distinction it is usually replaced by *würde* + infinitive:

- Ich besuchte Sie gern. ⎫ I would gladly
  Ich würde Sie gern besuchen. ⎰ visit you.

In everyday speech *würde* + infinitive can also be used for the past subjunctive of strong verbs:

- Ich käme gern. ⎫ I would gladly
  Ich würde gern kommen. ⎰ come.

Use of past subjunctive

The past subjunctive expresses unreality or doubt, and often implies that something may or may not be possible or come true:

- Ich hätte gern mehr Zeit.
  I should like to have more time.
- Das wäre schön.
  That would be nice.

- Könnten wir hier übernachten?
  Could we stay the night here?
- Ich würde es nicht tun.
  I wouldn't do it.

The past subjunctive is also used after verbs of thinking and feeling to imply 'being under an impression':

- Ich dachte, es wäre Ihre Frau.
  I thought it was your wife.
- Man meint, man wäre in Italien.
  You would think you were in Italy.

Adjectives after *etwas, viel, wenig, nichts*

After *etwas* (something), *viel* (much), *wenig* (little), *nichts* (nothing) adjectives end in –*es* in the nominative and accusative, in –*em* in the dative. Most of them are spelt with a capital letter:

- Es gibt nicht viel Neues.
  There isn't much news.
- Ich weiß nichts Interessantes.
  I don't know anything interesting.
- Um von etwas anderem zu sprechen . . .
  To talk about something else . . .

Difference between *erst* and *nur*

nur means 'only':

Ich habe nur zehn Mark.
I have only ten marks.

- Wir haben nur ein Zimmer frei.
  We have only one room available.

In questions and exclamations it sometimes has the sense of 'how on earth':

- Wie kann sie nur so dumm sein!
  How on earth can she be so stupid!
- Was soll ich nur tun?
  What on earth shall I do?

erst means 'only' in the sense of 'not until', 'not before', 'not more than':

- Er kam erst um fünf.
  He only came at five.
- Ich bin erst einmal geflogen.
  I have only flown once.

compare:
- Er kommt *nur* im Winter nach Italien.
  He only comes to Italy in the winter.
- Er kommt *erst* im Winter nach Italien.
  He won't be coming to Italy until the winter.

erst (short for *zuerst*) means 'first', and is usually followed by a clause with *dann*:

- Erst geht er nach Hause und dann ins Kino.
  He'll go home first and then to the cinema.

Exercises

(*a*) Complete these sentences with *nur* or *erst*:

1. Wir sind . . . gestern in Rothenburg angekommen.
2. Wo ist sie . . .?
3. Ich habe heute nacht . . . drei Stunden geschlafen.
4. Ich bin . . . um vier Uhr ins Bett gegangen.

(*b*) Translate:

'Could you visit me tomorrow afternoon? That would be nice. I would like to go to the cinema. Or would you rather stay at home?'

'Yes, I would like to come. I have a lot of interesting things to tell you. But unfortunately I have something important to settle. Could I come tomorrow evening?'

'Of course.'

14 | Helmut und Gisela fahren nach München

Empfangschef: Guten Morgen, Herr Förster. Sind Sie schon reisefertig?

Helmut: Ja. Wir wollen nach München fahren und noch vor Dunkelheit dort sein. Ist meine Rechnung schon fertig?

05 E: Ja. Bitte sehr. Ich hoffe, sie ist in Ordnung. Doppelzimmer 18 Mark, Frühstück 2 Mark 50 pro Person. Dann ließ ich Ihnen eine Flasche Sprudelwasser aufs Zimmer bringen: 1 Mark. Fünfzehn Prozent Bedienung . . .

H: Und was ist das hier?

E: Zwei Telefongespräche: 60 Pfennig. Das macht zusammen 28 Mark 20.

10 H: Stimmt. Ich will die Rechnung gleich bezahlen.

E: Danke schön. Hier ist Ihre Quittung. Ich lasse Ihr Gepäck sofort ans Auto bringen. Auf Wiedersehen, Herr Förster. Gute Fahrt! Hoffentlich dürfen wir Sie auf der Rückreise wieder bei uns begrüßen.

* * *

Gisela: Helmut, paß auf, wenn du durch so ein kleines Städtchen fährst. Die
15 Straßen sind so eng. Es passiert so leicht ein Unglück. Du bist auf der linken Seite.

H: Gisela, siehst du nicht, daß hier „Einbahnstraße" steht?

G: Wo? Ach, ja, da oben ist ein rotes Schild, auf dem es „Einbahnstraße"
heißt. Du hast mal wieder recht. Aber bitte fahr langsamer. Dort steht
„Vorsicht, scharfe Kurve". Wenn ein Motorrad plötzlich aus einer Seiten-
straße kommt, kannst du nicht schnell genug bremsen.

05 H: Gisela, ich fahre seit zehn Jahren Auto und habe, Gott sei Dank, noch nie
jemand überfahren. Fahr du doch zur Abwechslung!

G: In der Stadt will ich es lieber nicht versuchen. Da ist zuviel Verkehr.
Vielleicht nachher, wenn wir auf der Landstraße sind.

H: Du kannst mich auf der Autobahn von Augsburg nach München ablösen.

10 Da kann jedes Kind Auto fahren . . .

* * *

G: Ach, ist der Wald nicht herrlich? Sieh mal die hohen Eichen. Da können
wir doch Rast machen.

H: Der Empfangschef hat gesagt, daß hier irgendwo ein sehr schönes Rast-
haus sei. Wollen wir nicht lieber warten, bis wir hinkommen? Oder bist

15 du vom Fahren müde?

G: Nein, nein. Ich fahre gern weiter. Ich fange gerade an, mich an das Auto
zu gewöhnen. Nur finde ich, daß der Motor schlecht läuft. Haben wir
genug Benzin?

H: Natürlich. Ich habe 20 Liter an der letzten Tankstelle getankt.

20 G: Warum hupt der Fahrer hinter uns? Ich bin doch auf der richtigen
Fahrbahn.

H: Das wird irgendein Sonntagsfahrer sein, der erst fahren gelernt hat.

G: Wenn er uns überholen will, soll er es tun.

H: Der Wagen zieht nach links. Gib mehr Gas!

25 G: Ich fahre nicht gern so schnell.

H: Der Motor macht einen merkwürdigen Lärm. Vielleicht ist die Bremse
nicht ganz auf.

G: Doch. Der Mann hupt schon wieder. Er macht mich ganz nervös.
Irgend etwas stimmt nicht. Unsere alte Klapperkiste fängt wirklich an zu

30 klappern. Wollen wir nicht lieber halten?

H: Ja. Ich steige aus und sehe nach . . . Das hat uns gerade noch gefehlt.
Einer der Hinterreifen ist platt.

G: Der Junge in der Garage hat uns ja gesagt, daß die Reifen schlecht seien,
aber du hast es nicht geglaubt. Ach, ich helfe dir das Rad auswechseln.

35 Das ist eine Kleinigkeit. Wir haben ja ein Reserverad.

H: Was hast du gesagt? Eine Kleinigkeit? Weißt du denn nicht mehr, daß
wir das Reserverad zu Hause gelassen haben, weil nicht genug Platz im
Kofferraum war?

G: Ach, du lieber Himmel! Jetzt sitzen wir schön in der Tinte. Es wird schon

40 dunkel. Ich fürchte, wir kommen heute abend nicht mehr nach München.

H: Ich werde den ADAC rufen.

G: Wie willst du das machen?

H: Ich gehe telefonieren. Auf der Autobahn gibt es ungefähr alle zwei
Kilometer ein Telefon. Ich laufe zum nächsten Telefon und . . .

45 G: Helmut, ich sehe einen Motorradfahrer kommen. Er hält. Vielleicht
nimmt er dich mit.

82

H: Gisela – das ist die ADAC-Straßenwacht.

ADAC Mann: Guten Abend.

H: Guten Abend.

G: Was für ein Glück, daß Sie kommen!

05 ADAC: Sie haben wohl eine Panne. Ja, ich sehe schon. Ein Reifen ist platt. Das bringen wir schnell in Ordnung.

H: Wir haben aber kein Reserverad.

ADAC: Sie sind sehr leichtsinnig. Ich kann Ihnen ein altes Rad leihen, so daß Sie bis München fahren können. Dort lassen Sie Ihren Reifen
10 reparieren und wieder an den Wagen machen. In fünf Minuten habe ich Ihr Rad ausgewechselt.

G: Siehst du, Helmut, wie gut es ist, daß wir Mitglied des ADAC sind!

ADAC: Nanu!

H: Was ist los? Soll ich Ihnen helfen?

15 ADAC: Wissen Sie, daß die Achse gebrochen ist?

H: Wie bitte?

ADAC: Die Achse ist gebrochen. Sie haben noch Glück gehabt, daß Ihnen nichts passiert ist. Wir raten immer unseren Mitgliedern, nicht zu schnell auf der Autobahn zu fahren.

20 G: Aber ich bin doch ziemlich langsam gefahren.

ADAC: Nehmen Sie es mir nicht übel, Ihr Wagen hat auch schon bessere Tage gesehen, wenn ich so sagen darf.

ab|lösen	to take over from
aus|wechseln	to exchange, change
begrüßen	to greet, welcome
brechen (i, a, o)	to break
die Dunkelheit	darkness
die Eiche(–n)	oak tree
hupen	to hoot
klappern	to rattle
die Kleinigkeit(–en)	small matter, trifle
leichtsinnig	careless, thoughtless
das Mitglied(–er)	member
nanu!	oh dear!, well, well
platt	flat (of tyre)
das Prozent(–e)	per cent, percentage
die Quittung(–en)	receipt
das Rasthaus(–̈er)	road house (usually on motorways)
reisefertig	ready for a journey
die Rückreise(–n)	return journey
die Seite(–n)	side, page
der Sprudel(–) das Sprudelwasser	mineral water
über|nehmen (i, a, o)	to be offended
überfahren (ä, u, a)	to run over
das Unglück	accident, misfortune
ziehen(–,o,o)	to pull

pro Person	per person
gute Fahrt!	have a good journey!
es heißt ...	it says ...
zur Abwechslung	for a change
Rast machen	to stop for a rest
das hat uns gerade noch gefehlt	that's the last straw
in der Tinte sitzen	to be in the soup

Motoring

die Seitenstraße(–n)	side street
die Landstraße(–n)	open road, highway
die Fahrbahn(–en)	traffic lane
der Wegweiser(–)	signpost
der Gegenverkehr	oncoming traffic
die Verkehrsampel(–n)	traffic lights
der Sonntagsfahrer(–)	'week-end driver'
die Straßenwacht	road patrol
die Panne(–n)	breakdown
ein Kilometer(–)	a kilometre (about $\frac{5}{8}$ mile)
1,6 Kilometer	= 1 mile
die Tankstelle(–n)	petrol station
das Benzin	petrol
das Öl	oil
die Achse(–n)	axle
der Hinterreifen(–)	rear tyre
das Reserverad(–er)	spare wheel
ein Liter(–)	a litre (a little under a quart)
fünf Liter	5 litres (just over a gallon)
scharfe Kurve!	sharp bend
Parkverbot	no parking

der ADAC:	short for *der Allgemeine Deutsche Automobil Club*. German motoring association, similar to AA or RAC.
ADAC says:	„Die ADAC-Straßenwacht hilft in erster Linie den Mitgliedern ausländischer Automobil Clubs, also in Großbritannien den Mitgliedern der ‚Automobile Association' und des ‚Royal Automobile Club'. Sie hilft aber selbstverständlich auch den Nichtmitgliedern ausländischer Clubs."

Verkehrszeichen (traffic signs)

no turns

keep right

turn right

pass on the right

roundabout: yield to traffic from left

no stopping

no parking

overtaking prohibited

major road: driver has priority

major road ahead

one-way street

diversion

gehen, helfen, hören, lernen, sehen + infinitive

These verbs take an infinitive without *zu*:

Ich gehe *einkaufen*.
I am going shopping.

- Ich hörte ihn *singen*.
  I heard him singing.
- Lernen Sie Auto *fahren*?
  Are you learning to drive?
- Ich helfe Ihnen *spülen*.
  I'll help you wash up.

word order: In a simple sentence in the present or past tense the infinitive stands last. But after *werden*, *dürfen*, *mögen*, *können*, *müssen*, *sollen*, *wollen*, the infinitive of *gehen*, *helfen*, *hören*, etc. stands last and the infinitive without *zu* comes immediately before it:

- Ich werde *einkaufen* gehen.
  I'll be going shopping.
- Ich konnte ihn *singen* hören.
  I could hear him singing.
- Ich will Ihnen *spülen* helfen.
  I want to help you wash up.
- Sie müssen Auto *fahren* lernen.
  You must learn to drive.

85

lassen + infinitive   *lassen* means 'to let, leave':

- Wo habe ich mein Gepäck gelassen?
  Where did I leave my luggage?

  It is often followed by an infinitive without *zu*:

- Ich lasse ihn Auto fahren.
  I let him drive.

  lassen + infinitive can mean 'to have something done' or 'make someone do something':

- Ich lasse das Auto waschen.
  I am having the car washed.

- Lassen Sie mich nicht warten.
  Don't keep me waiting.

word order: This is the same as with *gehen, helfen* etc. + infinitive:

- Ich lasse mein Gepäck *wiegen*.
  I am having my luggage weighed.

- Ich muß mein Gepäck *wiegen* lassen.
  I must have my luggage weighed.

irgend   *irgendwo* (somewhere), *irgendwie* (somehow), *irgend jemand* (somebody or other) and *irgend etwas* (something or other) are invariable. But *irgendein* (someone, something or other) follows the same pattern as the indefinite article, *i.e.* when used without a noun it adds *–er* in the masculine nominative, *–(e)s* in the neuter nominative and accusative:

- Geben Sie mir irgendeine Zeitung.
  Give me some sort of a (any) newspaper.

- Irgend jemand hat mein Auto gestohlen.
  Somebody or other has stolen my car.

- Irgendeiner hat es gestohlen.
  Someone or other has stolen it.

Difference between gehen, fahren, laufen   *gehen* means 'to go, walk':

  Ich gehe ins Theater.
  I am going to the theatre.

- Wir können durch den Park gehen.
  We can walk through the park.

  It can also mean 'to go' in the sense of 'to function, work':

- Meine Uhr geht nicht richtig.
  My watch isn't working properly.

'to walk' in the sense of 'to go on foot' is translated by *zu Fuß gehen*.

'to go for a walk' is translated by *spazierengehen* or *einen Spaziergang machen*.

fahren means 'to go (by transport), travel, drive':

- Ich fahre in die Stadt.
  I am going into town (i.e. by car, tram).
- Wir fahren mit dem Zug.
  We go by train.
- Er fährt nach Italien.
  He is travelling to Italy.
- Ich fahre Sie nach Hause.
  I'll drive you home.

laufen means 'to run'; in colloquial speech it is often used in the sense of 'to go on foot':

- Er lief die Treppe hinauf.
  He ran upstairs.
- Wollen wir laufen oder fahren?
  Shall we walk or drive?

It can also refer to the running of an engine:

- Der Motor läuft schlecht.
  The engine is running badly.

Exercises

(*a*) Complete the following sentences using the verbs in brackets:

1. (sehen, abfliegen)   Von da drüben können Sie die Flugzeuge
....
2. (lernen, nähen)   Meine Frau..
3. (helfen, aufräumen)   Soll ich Ihnen ....?
4. (gehen, essen)   Wollen Sie jetzt ....?
5. (helfen, waschen)   Ich werde meiner Mutter............................
6. (lassen, auswechseln)   Wir konnten das Rad nicht ....

(*b*) Translate:

I am going to France tomorrow. I have to go by train. I wanted to go by car, but – imagine – I had a breakdown yesterday. It is a very old car. I don't know what happened. The engine was running badly and something or other went wrong. I must go to the station now and buy a ticket. Shall I walk or shall I take the tram?

Kreuzworträtsel

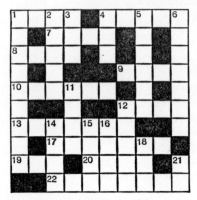

(β is spelt *ss* in this puzzle)

ACROSS
1. The ship went down (4)
4. You sit down at it (5)
7. Eye (4)
8. High (4)
9. Over (4)
10. Unfaithful (6)
12. Arms (4)
13. Future (7)
17. To embrace (7)
19. *nicht* or *nichts* often follow it (3)
20. Lakes (4)
22. To sing (2, 6)

DOWN
1. Opposite of clean (9)
2. Night (5)
3. Useful animal (3)
4. Any time is . . . time (3)
5. Opposite of 1 down (6)
6. Hither (7)
11. Space, room (4)
12. To breathe (5)
14. Opposite of long (4)
15. Wet (4)
16. Free (4)
18. Narrow, tight (3)
21. on (2)

15 | Helmut und Gisela besuchen ihre Freunde

Liesel: Augenblick. Wo sind meine Pantoffeln? Otto!

Otto: Hm?

L: Steh auf! Es ist jemand an der Tür. Wo sind meine Pantoffeln?

05 O: Ich weiß es nicht. Sie werden unter dem Bett sein. Wieviel Uhr ist es denn?

L: Es ist neun Uhr. Das sind bestimmt schon Försters.

O: Sie meinen wohl, „Morgenstund' hat Gold im Mund ".

L: Neun Uhr ist doch nicht früh, Otto. Ach, ich kann meinen Morgenrock nirgends finden. Wo habe ich ihn denn gelassen?

10 O: Wahrscheinlich hängt er im Badezimmer. Nimm meinen!

L: Ich kann doch nicht so lächerlich herumlaufen. Könntest du nicht die Tür aufmachen?

O: Ich habe mich noch nicht rasiert. Unrasiert kann ich mich nicht sehen lassen.

15 L: Ach, ihr Männer seid so eitel . . .

O: Es klingelt schon wieder. Machst du deinen Freunden nicht auf?

L: Ich muß mich noch zurechtmachen. Mein Lippenstift ist nirgends zu sehen. Ach, da ist er, in meiner Handtasche. So, jetzt sehe ich etwas besser aus ... Guten Morgen, Helmut. Guten Morgen, Frau Förster. Wie nett, daß ihr uns besucht.

05 *Helmut:* Guten Morgen, Liesel. Siehst du, wir haben unser Versprechen gehalten.

Gisela: Hoffentlich haben wir Sie nicht geweckt.

L: Nein, nein, wir sind schon lange wach. Bitte, kommen Sie doch herein ... Otto, Försters sind da ... Mein Mann zieht sich gerade an. Samstags
10 steht er immer spät auf.

G: Wir hätten Sie gern gestern besucht, aber wir sind erst um neun Uhr in München angekommen. Wir hatten eine Panne auf der Autobahn.

L: Ach, wie unangenehm!

G: Ja, wir hatten großes Pech. Wir konnten nicht mit dem Auto weiter-
15 fahren, sondern mußten den Zug nehmen. Als wir in München ankamen, konnten wir kein Hotelzimmer finden. Zum Schluß gab uns jemand die Adresse einer alten Dame, die Zimmer vermietet.

L: Hoffentlich sind Sie dort gut untergebracht, Frau Förster.

G: Ja. Die Dame ist sehr nett. Sie hat mir sogar eine Wärmflasche ins Bett
20 getan, denn es war ziemlich kühl gestern nacht.

L: Helmut, habt ihr eigentlich schon gefrühstückt?

H: Nein. Wir waren gerade auf dem Postamt, um unsere Post abzuholen. Da es ganz in eurer Nähe ist, wollten wir euch erst besuchen und dann eine Kleinigkeit essen.

25 L: Wir haben auch noch nicht gefrühstückt. Ich habe eine herrliche Idee. Hättet ihr Lust, mit uns ins Hofbräuhaus zu gehen?

G: Ins Hofbräuhaus, so früh morgens?

H: Da gibt es doch nur Bier. Ehrlich gesagt – wir würden lieber etwas essen als trinken.

30 L: Das ist ja das Schöne. Im Hofbräuhaus bekommt man Frühstück – ein typisch bayerisches Frühstück.

*   *   *

L: Frau Förster, wie gefällt Ihnen das Hofbräuhaus?

G: Es kommt mir alles so enorm groß vor – die Tische, die Stühle, die Bierkrüge ...

35 O: Die Kellnerinnen auch.

L: Otto! So etwas sagt man nicht.

O: Es ist aber so. Ah, da kommt unser bayerisches Frühstück: schöne dicke Weißwürste und ein großer Krug Weißbier für jeden.

G: Und wieviel geht in den Krug?

40 O: Ein Liter.

G: Um Gottes willen! So viel kann ich nicht trinken.

O: Versuchen Sie erst mal das Weißbier. Es wird Ihnen bestimmt schmecken.

G: Oh, sehr gut.

O: Dazu müssen Sie eine Scheibe Brot essen.

45 L: Bitte greifen Sie zu, Frau Förster.

G: Ach, Frau Zimmermann, wollen wir uns nicht duzen?

L: Ja, gerne.

O: Das ist viel netter. Prost, Gisela! Ich wollte dich schon immer beim Vornamen nennen.

L: Helmut, habt ihr gute Nachrichten von zu Hause?

05 H: Ich habe die Post, die wir geholt haben, noch gar nicht aufgemacht. Wir lassen uns alles postlagernd nachschicken. Das meiste sind Drucksachen.

G: Helmut, da ist ein Brief dabei. Laß mich mal sehen, von wem er ist.

H: Sei nicht so neugierig. Es ist nur ein Brief von meiner Sekretärin.

G: Was schreibt sie denn? Lies mal schnell vor. Vielleicht ist es etwas Wich-
10 tiges. Entschuldigt einen Augenblick, bitte!

H: Wahrscheinlich ist es nur ein geschäftlicher Brief. „An Herrn und Frau Förster . . .“

G: Sie schreibt an uns beide. Das muß ein privater Brief sein.

H: „Lieber Herr Förster, liebe Frau Förster, hoffentlich genießen Sie Ihre
15 Ferien und erholen sich gut. Ich freue mich, daß Sie Glück mit dem Wetter haben. Hier im Büro ist alles in Ordnung. Der Herr Direktor ist ein paar Tage geschäftlich nach Essen gereist und wird morgen wieder zurück sein.“

G: Das ist ein ganz unwichtiger Brief. Wir können ihn auch später lesen.

20 H: Ja. Nanu – hör mal, was sie zum Schluß schreibt. „Die Gerichtsver-handlung wegen des Einbruchs findet am Montag in einer Woche statt. Ich dachte, es würde Sie interessieren. Joachim ist einer der Angeklagten. Ich habe große Angst. Ich wünschte, ich hätte Ihnen damals den Kassen-schrankschlüssel gegeben. Dann wäre alles anders. Wie Sie wahrschein-
25 lich schon wissen, sollen Sie als Zeuge erscheinen. Herzliche Grüße, Ihre Irmgard Seifert.“

G: Du sollst auch vor Gericht erscheinen? Davon wußte ich gar nichts.

H: Hätte ich den Brief nur nicht aufgemacht!

L: Kinder, was ist denn los? Habt ihr schlechte Nachrichten bekommen?

30 H: Ach nein, es ist nur ein dummer Brief von meiner Sekretärin.

der Angeklagte(–n)	accused, defendant
*auf|stehen(–, a, a)	to get up
der Bierkrug(¨e)	beer mug
eitel	vain
sich erholen	to have a good rest, recuperate
die Gerichtsverhandlung(–en)	trial
das Hofbräuhaus	well-known Munich beer hall
kühl	cool, chilly
der Lippenstift(–e)	lipstick
der Morgenrock(¨e)	dressing-gown
der Pantoffel(–n)	slipper
sich rasieren	to shave
die Scheibe(–n)	slice
statt|finden(–, a, u)	to take place
vermieten	to let, hire out
der Vorname(–n)	Christian name
wach	awake

die Wärmflasche(–n)	hot water bottle
das Weißbier	type of beer
die Weißwurst(–e)	special kind of boiled sausage
der Zeuge(–n *w.*)	witness
sich zurecht|machen	to tidy oneself up, make up

sich sehen lassen	to appear
nirgends zu sehen	nowhere to be seen
Pech haben	to have bad luck
zum Schluß	in the end
gut untergebracht sein	to have comfortable accommodation
ehrlich gesagt	to tell you the truth, frankly
greifen Sie zu!	help yourself!
prost!	cheers!

Sprichwort

Morgenstund' hat Gold im Mund.	*i.e. The early bird catches the worm.*

Auf dem Postamt (At the post office)

die Ansichtskarte(–n)	picture postcard
der Briefkasten(– *or* –)	letter box
in den Briefkasten werfen	to put into the letter box
einen Brief ein|werfen	to post a letter
die Briefmarke(–n)	stamp
die Drucksache(–n)	printed matter
der Eilbrief(–e)	express letter
der Einschreibebrief(–e)	registered letter
Einschreiben!	by registered post
Luftpost	airmail
Bitte nachsenden!	please forward
nach|schicken	to forward
das Paket(–e)	package, parcel
das Porto	postage
die Post(*no pl.*)	mail, post office
das Postamt(–er)	post office
die Postkarte(–n)	postcard
postlagernd	'poste restante'
ein Telegramm auf|geben	to send a telegram

More uses of past subjunctive

The past subjunctive is used in sentences of wishful thinking introduced by *wünschte* and *wollte*:

- Ich wünschte, ich hätte ein neues Auto.
  I wish I had a new car.
- Er wollte, er könnte mehr Geld verdienen.
  He wished he could earn more money.

  (note that *wünschte* and *wollte* are past subjunctive forms)

It is also used where in English one would say 'if only':

- Wäre er nur hier.
  If only he were here.
- Käme er nur bald.
  If only he would come soon.
- Hätte ich es nur nicht getan.
  If only I hadn't done it.

das ist, das sind: *das ist* can mean 'this (that) is'; *das sind*, 'these (those) are':

- Das ist mein Mann.
  This is my husband.
- Das sind meine Freunde.
  These are my friends.

duzen and siezen: *duzen* means saying *du* to a person. This is the familiar form of address used only among relations, close friends and when speaking to children – and animals; *ihr* is the corresponding plural form. Workmen, soldiers and people living in a close community also tend to use *du* and *ihr* even when they don't know each other very well.

siezen means addressing one or more persons as *Sie*. This is the normal form of polite address.

The Germans are much more formal than the English, and on the whole they only address people by their Christian names if they call them *du*, though there is now a tendency amongst younger people to use Christian names with *Sie*. It is customary in Germany to shake hands when meeting and saying goodbye.

Difference between aber and sondern *aber* means 'but' and does not always stand at the beginning of a clause:

- Ich gehe aus, aber er bleibt zu Hause.
  I am going out, but he is staying at home.
- Es ist aber wahr.
  But it's true.

sondern means 'but' in the sense of 'on the contrary' and follows a negative statement:

- Er ist nicht arm, sondern reich.
  He is not poor but rich.
- Er fährt nicht mit dem Zug, sondern er fliegt.
  He is not going by train but by air.

Exercises

(*a*) Complete the sentences using *aber* or *sondern*:

1. Wir würden gern ein paar Tage hierbleiben, ... wir müssen morgen nach Hause fahren.
2. Das Flugzeug fliegt nicht um fünf Uhr, ... um sechs Uhr ab.
3. Wir sind nicht gelaufen, ... mit dem Auto gefahren.
4. Ich wollte Sie besuchen, ... ich hatte keine Zeit.

(*b*) Translate:

He: I wish I hadn't forgotten to buy stamps. I've written two postcards and one letter. Couldn't we go to the post office first and buy stamps?

She: Yes, that's a good idea. I have to go there too because I want to send a telegram. I could also buy a new colour film on the way to the post office. The sun is shining today and I could take such nice pictures.

Kreuzworträtsel

(*ß* is spelt *ss* in this puzzle)

ACROSS

1. Half past six (4, 6)
6. Or (4)
10. Activity, bustle (7)
11. Scream (6)
13. Never again (3, 6)
15. Stockings can be with or without it (4)
17. Wide (5)
18. Tip (9)
20. Street (7)
23. Carnation (5)
24. Town in the Ruhr district (5)
26. Printing works (9)
29. To afford (7)
30. Evening (5)
31. Vicinity (4)
32. see 5 down

DOWN

1. To have (5)
2. Girl's name (5)
3. Please be so kind (to a close friend) (3, 5, 2, 4)
4. He is having a bath (2, 5)
5. and 32 across: it disturbs her (2, 5, 3)
7. Through (5)
8. Clean or pure (4)
9. and 25 down: gnat-bite (13)
12. One, two, ... (4)
14. To her (3)
16. Brilliant thought? (4)
17. To order (9)
19. Express letters (9)
21. He thinks (2, 5)
22. Curiosity (7)
25. see 9 down
27. Man's name (5)
28. Indian national (5)

16 Helmut und Gisela machen einen Ausflug

Helmut: Ah, ich glaube, das ist unser Bus. Da steht: „Ausflug zu den Königsschlössern." Ich will aber lieber den Fahrer fragen . . . Entschuldigen Sie, ist das der Bus nach Hohenschwangau und Neuschwanstein?

Fahrer: Ja. Bitte, steigen Sie ein! Wir fahren in drei Minuten ab.

05 H: Der Bus ist sehr voll. Ich glaube nicht, daß wir nebeneinander sitzen können.

Gisela: Entschuldigen Sie bitte, sind diese Plätze besetzt?

Dame: Ja. Tut mir leid. Ich möchte Sie gern für zwei ältere Damen freihalten.

Mann im Bus: Hier hinten ist noch ein Platz frei.

10 G: Vielen Dank.

M: Möchten Sie gern am Fenster sitzen?

G: Aber ich kann Ihnen doch Ihren schönen Fensterplatz nicht wegnehmen.

M: Oh, das macht gar nichts. Ich kenne die Gegend sehr gut, und Sie kennen sie sicher nicht. Wissen Sie, ich sehe mir die Schlösser jedes Jahr an.

15 G: Wirklich? Ein Freund von mir hat gesagt, sie seien alle so kitschig.

M: Kitschig? Sie dürfen nicht alles glauben, was man Ihnen erzählt. Wenn Sie gestatten, werde ich Sie selbst durch die Schlösser führen und Ihnen das Interessanteste zeigen. Sind Sie allein, wenn ich fragen darf?

H: Wir sind zusammen unterwegs.

20 M: Oh, Verzeihung. Ich hatte Ihren Freund gar nicht gesehen . . . Sehen Sie, das Schloß dort oben auf dem hohen Felsen – das ist Neuschwanstein.

G: Mit den hohen Türmen sieht es ja wie eine Ritterburg aus dem Mittelalter aus.

H: Mir kommt es vor, als ob es sehr neu wäre.

25 M: Bravo! Sie haben beide recht. Es ist eine mittelalterliche Burg, die noch keine hundert Jahre alt ist.

G: Ach, was Sie nicht sagen. Wie ist das möglich?

M: Sie ist im letzten Jahrhundert in diesem Stil gebaut worden.

G: Von weitem hat man den Eindruck, als ob sie ein großes Spielzeug wäre.

30 M: So etwas war die Burg auch.

H: Ein Spielzeug? Wer hat sie denn bauen lassen?

M: Haben Sie noch nie von Ludwig II. gehört?

G: Ach, dem verrückten König von Bayern.

H: Gisela!

35 G: Ach, entschuldigen Sie. Aber es stimmt doch. Man sagt, Ludwig von Bayern hätte sich die tollsten Sachen erlaubt.

M: Es kommt darauf an, was man unter „toll" versteht. Er träumte gern von alten Zeiten und deshalb ließ er sich Schlösser in altem Stil bauen.

G: Und die Schlösser waren sozusagen sein Spielzeug, nicht wahr?

M: Ja, ja. Das waren Zeiten damals.

G: Sie machen mich ganz neugierig.

M: Wenn es Sie interessiert, werde ich Ihnen ein paar Geschichten über
König Ludwig erzählen. Wissen Sie, er war mit Richard Wagner, unserem großen Komponisten, eng befreundet und lud ihn oft auf seine
Schlösser ein. Wagner hatte Samt so gern. Er trug eine Samtjacke und
sogar eine Samtmütze. Sie müssen sich mal das Zimmer ansehen, in dem
Wagner ab und zu gewohnt haben soll. Um ihm eine Freude zu machen,
ließ der König die Möbel mit kostbarem Samt beziehen.

G: Ach, wie interessant. Woher wissen Sie denn das alles?

M: Naja, jeder hat sein Steckenpferd.

G: Erzählen Sie weiter!

M: Mit Vergnügen. Man hat nicht jeden Tag die Gelegenheit, sich mit einer
so reizenden jungen Dame zu unterhalten. Also, um auf Wagner zurück-
zukommen – manche Leute sagen sogar, er hätte „Lohengrin" dort
komponiert.

G: Ist das nicht die Geschichte von dem Ritter und dem Schwan?

M: Die Geschichte von dem Ritter und dem Schwan! Ein schöner Titel für
Wagners herrliche Oper. Die Musik gefällt Ihnen doch sicher? Kennen
Sie diese Melodie . . .?

G: Das ist der Hochzeitsmarsch.

M: Richtig geraten! Das ist der berühmte Hochzeitsmarsch aus dem
„Lohengrin". Wenn Sie heiraten . . .

G: Sie haben mir doch gesagt, daß Sie mir noch mehr über Ludwig II.
erzählen würden.

M: Ach ja. Die Hauptsache hätte ich beinahe vergessen. Der König liebte
Wagners Opern, besonders „Lohengrin". Stellen Sie sich vor, er hat sich
ein Boot machen lassen, das wie ein Schwan aussah.

G: Was für eine verrückte Idee!

M: Wenn die Oper gespielt wurde, fuhr Lohengrin in diesem Boot langsam
über den See.

G: Das muß doch sehr romantisch gewesen sein.

M: Ja. Der König hatte Sinn für Romantik. Sehen Sie da unten den See?
Dort wurde diese Szene gespielt.

G: Der Bus hält ja. Sind wir denn schon da?

M: Ja. Da oben ist die Burg.

G: Müssen wir zu Fuß dort hinaufgehen?

M: Es ist nicht sehr weit. Sie werden sehen, daß es der Mühe wert ist.
Gestatten Sie, daß ich mich Ihnen anschließe – das heißt, wenn Ihr
Freund nichts dagegen hat?

H: Bitte sehr!

*   *   *

G: Das war ein herrlicher Ausflug, Helmut.

H: Ohne diesen komischen Kerl, der sich die ganze Zeit mit dir unterhalten
hat, hätte es mir noch besser gefallen.

G: Ohne ihn hätten wir nie so viel Interessantes sehen können.

H: Er hat viel zu viel geredet. Und wahrscheinlich war nur die Hälfte davon wahr.

G: Was hast du gegen den Mann? Er war doch sehr nett und hat sofort gesagt, er würde uns gern durch die Schlösser führen.

05 H: Uns? Er sagte, er würde dir alles zeigen. Wahrscheinlich dachte er, er könnte ein bißchen mit dir flirten. Stimmt's?

beziehen(–, o, o)	to cover (with material)
das Boot(–e)	boat
der Fels(–en w.) ⎫ der Felsen(–) ⎭	rock
flirten (pronounced 'flörten')	to flirt
die Hälfte(–n)	half
der Kerl(–e)	fellow, chap
kitschig	trashy
komisch	funny, odd
der Komponist(–en w.)	composer
kostbar	precious, valuable
mancher	many a, some
die Mütze(–n)	cap
nebeneinander	next to one another, side by side
reden	to talk
der Ritter(–)	knight
der Samt	velvet
der Schwan(⁼e)	swan
sozusagen	so-to-speak
das Spielzeug(no pl.)	toy(s)
das Steckenpferd(–e)	hobby-horse, hobby
toll	crazy, wild
träumen	to dream
sich unterhalten(ä, ie, a) mit	to talk to someone, converse with
verrückt	mad, crazy

alles . . . was	all, everything that
von weitem	from afar
verstehen unter	to understand by
eng befreundet mit	a close friend of
eine Freude machen	to give pleasure
richtig geraten	guessed right
der Mühe wert sein	to be worth the effort
das heißt (d.h.)	that is to say (i.e.)

96

Past subjunctive in reported speech

In reporting a statement or a question the past subjunctive must be used when the present subjunctive form is identical with the indicative (i.e. in the 1st person singular and plural and the 3rd person plural of most verbs):

- Sagen Sie ihm, ich hätte Kopfschmerzen.
  (instead of *habe*)
  Tell him I have a headache.
- Ich schreibe ihm, daß ich ihn besuchen würde.
  (instead of *werde*)
  I'll write and tell him that I shall visit him.
- Sie fragt uns, ob wir genug Geld hätten.
  (instead of *haben*)
  She is asking us if we have enough money.

In reported speech there is usually no difference in meaning between the present and the past subjunctive. In colloquial speech the past subjunctive tends to be used for all forms:

- Er hat gesagt, er *hätte(habe)* kein Geld.
  He said he hadn't any money.
- Sie sagte, sie *wäre(sei)* krank.
  She said she was ill.

haben + dürfen, können, mögen, etc.

dürfen, können, mögen, müssen, sollen, wollen, lassen have two forms with *haben* (perfect and pluperfect tenses). When there is a direct object only the past participle is used:

- Ich habe es nicht *gekonnt*.
  I haven't been able to.
- Sie hat es nicht *gedurft*.
  She wasn't allowed to.
- Er hat das Auto zu Hause *gelassen*.
  He left the car at home.

But the infinitive is used when there is another infinitive in the sentence:

- Ich habe es nicht tun *können*.
  I couldn't do it.
- Sie hat nicht ausgehen *dürfen*.
  She wasn't allowed to go out.
- Er hat sein Auto waschen *lassen*.
  He had his car washed.

word order: In a simple sentence the infinitive of *dürfen, können*, etc. stands at the end; the other infinitive immediately precedes it.

R—G

Difference between gefallen and gern haben

gefallen means 'to like, to please'. It takes the dative:

- Gefällt Ihnen London?
  Do you like London? (Does London please you?)
- Ihr Kleid gefällt mir.
  I like your dress. (Your dress pleases me.)

gern haben means 'to like, to be fond of':

- Er hat sie sehr gern.
  He is very fond of her.
- Haben Sie Musik gern?
  Do you like (Are you fond of) music?

gern + verb means 'to like doing something':

- Ich tanze gern.
  I like dancing.
- Ich trinke gern Wein.
  I like (drinking) wine.

Exercises

(*a*) Translate:

'Tell him I have no time today. Ask him whether I could come tomorrow. I told him last week that I had a lot to do, but he has probably forgotten it.'

'Why don't you say to him that you have an important appointment and that you will write to him?'

'Yes, that is surely the best thing. Thank you very much for your good advice.'

(*b*) Put into the perfect tense:

1. Warum lassen Sie Ihren Regenschirm nicht zu Hause?
2. Sie konnte nicht vor dem Hotel parken. Sie durfte es nicht.
3. Er läßt sich ein sehr schönes Haus bauen.
4. Ich mußte ihm alles zweimal erklären.

Zungenbrecher

Der Potsdamer Postkutscher putzt die Potsdamer Postkutsche.

Kreuzworträtsel

(*ß* is spelt *ss* in this puzzle)

ACROSS
2. You eat with it (5)
6. Poetic word for meadow (3)
7. It replaces a neuter noun (2)
8. Now (3)
9. Not sour (4)
10. A piece of crockery (6)
12. see 19. across
13. . . . and vinegar (2)
15. He loves honey (3)
17. Germans drink it at tea-time (6)
18. Dative of *sie* (3)
19. and 12 across: he rested (2, 5)
20. He serves you at table (7)
23. Deer (3)
24. Preposition (2)

DOWN
1. Not sweet (5)
2. Crockery (8)
3. Cutlery (7)
4. (I) eat (4)
5. Huge (5)
8. Zero (4)
11. A piece of cutlery (6)
14. Infinitive of *gab* (5)
15. An alcoholic drink (4)
16. Ear of corn (4)
21. Which came first, the chicken or the . . . (2)
22. Exclamation (2)

17 | Helmut und Gisela in Wien

Gisela: Oh, Helmut, mir tun die Füße weh, und ich bin so müde. Können wir uns nicht ein bißchen ausruhen? Wien ist ja eine herrliche Stadt. Aber wir sind schon seit heute morgen auf den Beinen.

05 *Helmut:* Wie wäre es mit einer Tasse Kaffee? Hier ist ein Lokal, das ziemlich leer aussieht. „Wiener Kaffeehaus" steht über dem Eingang.

G: Das könnte eines von den Kaffeehäusern sein, von denen uns Liesel erzählte. Komm, wir gehen hinein!

H: Wollen wir uns an diesen Tisch am Fenster setzen?

G: Ja. Da kann man so schön auf die Straße sehen und sich die Leute
10 anschauen.

Kellner: Was hätten Sie gern?

H: Zwei Tassen Kaffee, bitte.

K: Mit oder ohne?

H: Mit oder ohne? Ach so – mit Sahne, bitte.

99

G: Noch lieber mit Schlagsahne.

K: Sie kommen wohl aus Deutschland.

H: Ja. Woher wissen Sie das?

K: „Schlagsahne" gibt es nur in Deutschland. Bei uns sagt man „Schlag".

05 H: Also zwei Tassen Kaffee mit Schlag.

K: Möchten Sie gern ein Stück Gugelhupf dazu? Das ist eine Wiener Spezialität.

G: Oh ja, bitte. Ein Stück für jeden.

K: Sofort, gnädige Frau. Kann ich Ihnen eine Zeitung bringen? Vielleicht
10 eine deutsche?

H: Das ist aber sehr liebenswürdig. Ja, bitte. Wenn es Ihnen nichts ausmacht, auch eine österreichische. Ich möchte gern sehen, was diese Woche im Theater gespielt wird.

G: Haben Sie auch französische Illustrierte oder irgendeine Modezeitung?

15 H: Selbstverständlich, gnädige Frau. Wir haben eine große Auswahl an europäischen Zeitungen.

G: Ein sehr freundlicher Kellner.

H: Daß man eine Zeitung bekommt, scheint hier zur Bedienung zu gehören. Sieh dich mal um – die meisten Leute lesen Zeitung. Und wenn sie mit
20 der einen fertig sind, bringt ihnen der Kellner eine andere.

K: Ihr Kaffee, Ihr Kuchen und Ihre Zeitungen, meine Herrschaften.

H: Vielen Dank.

G: Oh, der Kellner hat jedem von uns auch ein Glas Wasser mitgebracht.

H: Ich muß sagen, die Bedienung läßt nichts zu wünschen übrig.

25 G: Hm. Der Gugelhupf schmeckt gut. Helmut, wir müssen unbedingt ein paar Ansichtskarten an unsere Bekannten schicken.

H: Ja, und wir müssen uns auch bei Liesel und Otto bedanken. Sie waren doch so nett zu uns in München. Ohne sie wären wir nie ins Hofbräuhaus gegangen. Könntest du ihnen nicht schreiben?

30 G: Helmut, sei nicht so faul! Liesel ist doch schließlich deine Freundin.

H: Aber du kannst so gut Briefe schreiben.

G: Dir fallen Komplimente nur ein, wenn du mich zu etwas überreden willst. Also, gib mir eine von den Ansichtskarten, die du vorhin gekauft hast . . .
„Wien, den 5. August. Liebe Liesel, lieber Otto! Helmut und ich möchten
35 Euch herzlich für die schönen Tage danken, die wir zusammen verbracht haben." Ist das ein guter Anfang?

H: Ja, sehr schön.

G: „Es war so nett von Euch, uns München zu zeigen. Wir sind gut in Wien angekommen. Unsere Klapperkiste hat sich gut benommen, und wir
40 hatten diesmal keine Panne. Nächste Woche müssen wir leider wieder zurückfahren. Wir hoffen, daß es Euch beiden gut geht, und freuen uns auf ein baldiges Wiedersehen. Alles Gute für Eure Reise nach Italien. Herzliche Grüße, Eure Gisela Förster." So, darf ich dich bitten, die Adresse auf die Postkarte zu schreiben?

45 H: Schon fertig? Das ging aber schnell. Möchtest du noch einen Kaffee?

G: Ja, gern. Frag doch gleich den Kellner, ob er uns einen guten Vorschlag für heute abend machen kann.

H: Ja, ja. Herr Ober!

100

K: Was darf es sein?

H: Noch einen Kaffee mit Schlag bitte. Ach, Herr Ober, Sie wissen ja, daß wir hier fremd sind. Können Sie uns einen Rat geben?

K: Gerne. Worum handelt sich's denn?

05 H: Können Sie uns sagen, wo wir heute nach dem Abendessen hingehen können?

K: Sind Sie schon in Grinzing gewesen?

H: Nein.

K: Grinzing ist ein romantisches Dorf nicht weit von der Stadt. Es gibt dort
10 viele gemütliche Weinstuben, wo Sie Zigeunermusik hören können. Gehen Sie ins „Zigeunerstüberl" und trinken Sie dort ein Glas Heurigen!

G: Heurigen? Das ist wohl wieder ein österreichisches Wort.

K: Der Heurige – so nennt man den neuen Wein bei uns.

G: Können Sie mir noch ein anderes Wort erklären? Wir sind vorhin an
15 einem Lokal vorbeigekommen. Es sah wie ein Restaurant aus, und über dem Eingang stand „Backhendlstation". Was bekommt man denn da?

K: Das Backhendl ist ein gebratenes Hühnchen, gnädige Frau.

G: Noch eine andere Frage, Herr Ober, wenn Sie nichts dagegen haben.

K: Aber nein. Ich gebe Ihnen gern über alles Auskunft.

20 G: Könnten Sie uns einen schönen Ausflug für heute nachmittag empfehlen?

K: Machen Sie doch einen Bummel durch den Prater, den berühmten Vergnügungspark.

*   *   *

H: Das ist also der Prater – hier scheint es ja für jeden etwas zu geben: ein Karussell, eine Backhendlstation, ein Riesenrad . . .

25 G: Da drüben ist auch ein Kasperltheater. Das möchte ich mir gern ansehen.

H: Du bist ein großes Kind, Gisela.

G: Vielleicht.

H: Ich möchte lieber einmal Riesenrad fahren.

G: Sieh mal an, mich nennst du ein großes Kind und du selbst willst Riesen-
30 rad fahren! Ich mache dir einen Vorschlag. Wir fahren erst Riesenrad und gehen dann ins Kasperltheater. Einverstanden?

Mann: Steigen Sie ein, meine Herrschaften! Eine Fahrt mit dem Riesenrad ist ein Erlebnis! Schöne Aussicht auf ganz Wien. Steigen Sie ein, meine Herrschaften . . .

sich an|schauen	to have a look at
die Auswahl	selection
sich bedạnken (bei)	to thank (someone)
sich benẹhmen(i, a, o)	to behave
einverstanden	agreed
das Erlẹbnis(–se)	experience, adventure
faul	lazy
franzọsisch	French
gehọren(+ dat.)	to belong to
das Karussẹll(–e or –s)	roundabout (in fairground)

101

das Kasperltheater(–)	Punch-and-Judy show
das Riesenrad(-er)	Big Wheel
die Sahne	cream
die Schlagsahne	whipped cream
schließlich	in the end
sich um|sehen (ie, a, e)	to look around
überreden	to persuade
*vorbei|kommen(–, a, o)	to pass, go by
an (+ dat.)	
vorhin	just now, a short while ago
die Weinstube(–n)	public house (chiefly for wine drinking)

es macht mir nichts aus	I don't mind
Was wird (im Theater) ge-spielt?	What is on (at the theatre)?
zu wünschen übrig|lassen	to leave something to be desired
sich freuen auf(+ acc.)	to look forward to
alles Gute!	all the best!
fremd sein	to be a stranger
es handelt sich um ...	it's about ...

Some Austrian Expressions

das Backhendl (–)	fried chicken
der Gugelhupf	special kind of Viennese cake
der Heurige	new wine
die Jause	afternoon coffee
zur Jause gehen	to have afternoon coffee
das Schlagobers	whipped cream
mit Schlag	with whipped cream
mit Obers	with cream
das Stüberl	small room (in a restaurant)

Other expressions heard in Austria, and often in Southern Germany:

Küss' die Hand	I kiss your hand (greeting from a gentleman to a lady)
Grüß Gott!	*for* Guten Tag!
ein bisserl	*for* ein bißchen
schauen	*for* sehen
Auf Wiederschauen	*for* Auf Wiedersehen

Typical of Austrian, and to some extent of South German, is the use of words of French origin, especially verbs in *–ieren*, e.g. *salutieren*(= *grüßen*), *servieren*(= *bedienen*), and diminutives ending in *–l, –el, –erl*, e.g. *das Mädel*(= *Mädchen*), *das Stüberl*(= *Stübchen*), *ein bisserl* (= *ein bißchen*).

Translating prepositions   German and English differ considerably in their use of prepositions. The following are some common examples:

to = *zu*   (public buildings and offices)

zum Bahnhof	to the station
zur Post	to the post office

(professionals and tradesmen)

zum Arzt	to the doctor
zum Metzger	to the butcher

nach   (place names)

nach Deutschland	to Germany
nach München	to Munich

note: nach Hause   home (i.e. to one's home)

in + acc.   (into a place)

ins Büro	to the office
ins Kino	to the cinema
in die Berge	to the mountains

auf + acc.   (public places and buildings, official authorities)

auf den Markt	to the market
auf **die** Post	to the post office
auf die Polizei	to the police

at = *an* + dat.   (position)

am Tisch	at the table
am Fenster	at the window
an der Tür	at the door

bei   (persons)

bei meiner Mutter	at my mother's
bei uns	at our place

um   (definite time)

um sechs Uhr	at 6 o'clock
um Mitternacht	at midnight

in + dat.   (time)

im Augenblick	at the moment
im Alter von	at the age of

(place)

in der Schule	at school
ankommen in	arrive at

note: *zu* Hause   **at home**

on = *an* + dat./acc.	(vertical position)	
	an $\begin{cases} \text{der Wand} \\ \text{die Wand} \end{cases}$	on the wall
	(days)	
	am Montag	on Monday
	am ersten Tag	on the first day
auf + dat./acc.	(horizontal position)	
	auf $\begin{cases} \text{dem Tisch} \\ \text{den Tisch} \end{cases}$	on the table
	auf $\begin{cases} \text{der Bühne} \\ \text{die Bühne} \end{cases}$	on the stage
bei	(occasion)	
	bei seiner Abfahrt	on his departure
	bei dieser Gelegenheit	on this occasion
note:	*zu* Fuß	on foot
in + dat.	(public transport)	
	im Zug	on the train
	im Flugzeug	on the plane
	in der Straßenbahn	on the tram
in = *in* + dat.	(time of year)	
	im Sommer	in the summer
	im Jahre 1939	in 1939
	(place)	
	in der Stadt	in town
	in Berlin	in Berlin
note:	*auf* der Straße	in the street
an + dat.	(time of day)	
	am Abend	in the evening
	am Tag	in the daytime
into = *in* + acc.	(towards a place)	
	in die Stadt	into town
	ins Zimmer	into the room
note:	*auf* die Straße	into the street
by = *an* + dat./acc.	(near, next to)	
	am See	by the lake
	$\left.\begin{array}{l}\text{ans} \\ \text{am}\end{array}\right\}$ Fenster	by the window
mit	(means of transport)	
	mit dem Auto	by car
	mit der Post	by post

von instead of genitive

In everyday speech *von* + dative often replaces the genitive:

- die Mutter von diesem Jungen
  (= die Mutter dieses Jungen)
  this boy's mother
- einer von den Angeklagten
  (= einer der Angeklagten)
  one of the accused

Names of countries, towns, etc. which are used without the article usually have *von* instead of the genitive:

- die Hauptstadt von England

But place names with an article are used in the genitive:

- die Hauptstadt der Schweiz

Difference between *fragen* and *bitten*

fragen is 'to ask a question':

Ich möchte Sie etwas fragen.
I should like to ask you something.

fragen nach means 'to enquire about somebody or something':

- Er fragte mich nach dem Weg.
  He asked me the way.
- Eine Dame hat nach Ihnen gefragt.
  A lady enquired about you.

bitten means 'to ask somebody for something, to make a request'. It is usually followed by *um* + accusative:

- Sie bat ihn hereinzukommen.
  She asked him to come in.
- Darf ich Sie um Ihren Paß bitten?
  May I ask you for your passport?

Newspapers

die Tageszeitung(–en)	daily paper
die Wochenzeitung(–en)	weekly paper
die Illustrierte(–n)	illustrated magazine
die Modezeitung(–en)	fashion magazine
die Zeitschrift(–en)	periodical

GERMAN PAPERS

dailies: Frankfurter Allgemeine, Süddeutsche Zeitung, Die Welt

weeklies: Die Zeit, Sonntagsblatt, Rheinischer Merkur, Der Spiegel (illustrated)

illustrated magazines: Der Stern, Revue, Quick

dailies: Basler Nachrichten, Neue Züricher Zeitung, Die Tat

weekly: Die Weltwoche

dailies: Die Presse, Neues Österreich, Die Arbeiterzeitung, Der Kurier (evening paper)

weekly: Die Furche

Exercises

(a) Fill in the blanks with prepositions and articles where appropriate:

1. Wir fahren morgen . . . München.
2. Meine Sekretärin ist heute nicht . . . Büro gekommen.
3. Helmut geht . . . Post und wirft Briefe . . . . . . Briefkasten.
4. Wann seid ihr gestern . . . Hause gekommen?
5. . . . . . . Hauptstraße ist viel Verkehr.
6. Gisela will . . . . . . Markt gehen.
7. Wien ist die Hauptstadt . . . Österreich.

(b) Translate:

I boarded the train, went into an empty compartment, and sat down by the window. The conductor came in and asked for my ticket. I could not find it, and he asked me where I had bought my ticket. I gave him the address of the travel agency.

18 Helmut und Gisela gehen in die Oper

Helmut: Haben Sie noch zwei Plätze für die Oper heute abend?

Mann an der Kasse: Heute abend wird „Die Zauberflöte" zum letzten Mal gespielt, aber die Vorstellung hat schon vor ein paar Minuten angefangen, meine Herrschaften.

05 H: Das macht nichts. Gibt es denn noch Karten?

M: Ich werd' gleich nachschauen. Im ersten Rang ist noch ein Platz in der zweiten Reihe frei und einer in der dritten.

H: Wir hätten gerne zwei Plätze nebeneinander, wenn es möglich wäre.

M: Zwei Eckplätze im Parkett. Sind sie Ihnen recht? Jede Karte kostet 12 Schilling.

H: Was machen wir? Wollen wir sie nehmen, Gisela?

05 *Gisela:* Ja, natürlich.

H: Gut. Hier sind 24 Schilling.

M: Danke. Wenn Sie Ihre Mäntel abgeben wollen, die Garderobe ist links um die Ecke. Viel Vergnügen! Sehen Sie zu, gnädige Frau, daß Sie der Mann am Eingang gleich hineinläßt.

10 G: Helmut, ich hätte nie gedacht, daß wir in letzter Minute noch Karten bekommen würden. Der Mann an der Kasse war sehr freundlich, nicht wahr?

H: Ja. Komm, wir wollen uns beeilen, sonst verpassen wir zuviel.

Mann am Eingang: Ihre Karten, bitte. Die Vorstellung hat schon begonnen,
15 meine Herrschaften. Sie müssen bis zum Ende der ersten Szene warten.

G: Ach, lassen Sie uns doch hinein. Wir können ja nichts dafür. Wenn wir hier nicht fremd wären, hätten wir uns nicht verlaufen und wären nicht zu spät gekommen.

M: Gnädige Frau, wir haben unsere Vorschriften. Wenn wir jeden, der zu
20 spät käme, hineinlassen würden ...

G: Seien Sie doch so gut! Wir werden niemand stören. Wir haben Eckplätze.

M: Ach so. Ja. Stimmt. Da will ich ausnahmsweise ein Auge zudrücken. Aber seien Sie leise!

G: Helmut, bitte gib mir das Opernglas.

25 H: Sch! Nicht so laut.

G: Eben kommt Tamino zu sich.

H: Sch!

Tamino: „Wo bin ich? Ist's Phantasie, daß ich noch lebe, oder hat eine höhere Macht mich gerettet? Wie – die Schlange tot? Was hör' ich? Wo
30 bin ich? Welch' unbekannter Ort? Da – eine merkwürdige Figur nähert sich ...“

G: Gleich erscheint Papageno. Wir sind gerade zur rechten Zeit gekommen, um die Arie vom Vogelfänger zu hören.

Papageno: „Der Vogelfänger bin ich ja,
35   stets lustig heisa hopsa-sa!
        Ich Vogelfänger bin bekannt
        bei Alt und Jung im ganzen Land.
        Weiß mit dem Locken umzugeh'n,
        und mich auf's Pfeifen zu versteh'n!
40   D'rum kann ich froh und lustig sein,
        denn alle Vögel sind ja mein.“

        „Der Vogelfänger bin ich ja,
        stets lustig heisa hopsa-sa!
        Ich Vogelfänger bin bekannt
45   bei Alt und Jung im ganzen Land.
        Ein Netz für Mädchen möchte ich,
        ich fing' sie dutzendweis' für mich!
        Dann sperrte ich sie bei mir ein,
        und alle Mädchen wären mein.“

„Wenn alle Mädchen wären mein,
so tauschte ich brav Zucker ein,
die, welche mir am liebsten wär',
der gäb' ich gleich den Zucker her.
05 Und küßte sie mich zärtlich dann,
wär' sie mein Weib und ich ihr Mann.
Sie schlief an meiner Seite ein,
ich wiegte wie ein Kind sie ein."

G: Jetzt ist Pause. Laß uns ins Foyer gehen und etwas trinken. Es ist so heiß
10 hier. Helmut, kommt dir der Mann, der gerade hinausgeht, nicht
bekannt vor?

H: Der Mann im Smoking mit der Glatze?

G: Ja. Eben dreht er sich um. Ist das nicht der komische Kerl, den wir auf
dem Ausflug nach Neuschwanstein getroffen haben?

15 H: Natürlich ... Guten Abend.

Mann: Guten Abend. Ach, Sie sind es! Die Welt ist doch klein. Wer hätte
gedacht, daß wir uns in Wien wiedersehen würden! Na, wie hat Ihnen der
erste Akt gefallen?

H: Meine Frau ist ganz begeistert. Sie sagt, sie hätte noch nie so eine gute
20 Vorstellung gehört.

G: Ich weiß nicht, wer der Bariton ist, der den Papageno spielt. Wir haben
kein Programm mehr bekommen. Er singt einfach wunderbar. Und dazu
ist er auch ein großartiger Schauspieler, finden Sie nicht?

M: Mich sollten Sie eigentlich nicht fragen, denn ich bin nicht ganz un-
25 parteiisch.

G: Warum? Ist er ein Freund von Ihnen?

M: Nein, er ist mein Sohn.

G: Ihr Sohn? Jetzt verstehe ich, wieso Sie soviel über Musik wissen.

M: Ich war früher auch auf der Bühne.

30 G: Und Sie haben Wagneropern gesungen!

M: Jawohl. Dürfte ich Sie nach der Vorstellung mit meinem Sohn bekanntmachen und Sie einladen, mit uns auszugehen?

G: Das wäre sehr nett. Wissen Sie, heute ist nämlich der letzte Abend unseres
Urlaubs, und wir würden uns sehr freuen, wenn wir ihn in so netter
35 Gesellschaft verbringen könnten. Mein Mann und ich ...

M: Ihr Mann? Ich dachte, es wäre Ihr Freund. Sehen Sie, so kann man sich
täuschen.

ablgeben(i, a, e)	to hand in
ausnahmsweise	exceptionally, for once
sich beeilen	to hurry
begeistert	enthusiastic, enchanted
bekannt	(well) known, familiar
bekanntlmachen (mit)	to introduce (to)
die Bühne(-n)	stage
die Garderobe(-n)	cloakroom

die Gesellschaft(-en)	company
die Glatze(-n)	bald head
großartig	splendid, wonderful
leise	soft(ly), quiet(ly)
nachIschauen	to check, look up
das Opernglas(-er)	opera glasses
das Parkett	stalls
die Pause(-n)	interval
die Reihe(-n)	row
der Schauspieler(-)	actor
sich täuschen	to be mistaken
sich umIdrehen	to turn round
unparteiisch	unbiased
der Vogelfänger(-)	bird catcher
die Vorschrift(-en)	regulation

der erste Rang	dress circle
viel Vergnügen!	enjoy yourself!
sehen Sie zu, daß ...	see to it, that ...
ich kann nichts dafür	it's not my fault
ein Auge zuIdrücken	to turn a blind eye
zu sich* kommen	to come to oneself

Subjunctive in *wenn*-clauses

In statements with *wenn*-clauses implying uncertainty or unreality, the past subjunctive is used in both clauses:

- Ich *würde* kommen(Ich *käme*), wenn ich Zeit *hätte*.
  I would come if I had time.
- Wir *würden* Sie besuchen, wenn wir nicht verreisen *würden*.
  We would visit you if we were not going away.
- Wenn er fahren *könnte*, *würde* er Sie besuchen.
  If he could drive he would visit you.
- Wenn ich es *wüßte*, *würde* ich es ihnen sagen.
  If I knew it I would tell them.

Verbs + prepositions

Many verbs are followed by a preposition taking the accusative, dative or genitive. The following are the most common:

an + acc.	denken an	to think of
	sich erinnern an	to remember
	sich gewöhnen an	to get used to
	glauben an	to believe in
an + dat.	erkennen an	to recognize by
	leiden an	to suffer from
	zweifeln an	to doubt

auf + acc.	antworten auf	to answer (question, letter, not a person)
	sich freuen auf	to look forward to
	herein|fallen auf	to be taken in by
	hoffen auf	to hope for
	warten auf	to wait for
nach + dat.	fragen nach	to ask about
	schmecken nach	to taste of
über + acc.	sich freuen über	to be pleased about
	lachen über	to laugh at
	schreiben über	to write about
	sprechen über	to talk about
um + acc.	bitten um	to ask for
von + dat.	leben von	to live on
vor + dat.	sich fürchten vor ⎫ Angst haben vor ⎭	to be afraid of

Difference between Zeit, Mal, Uhr

Zeit means 'time' in general:

Haben Sie heute Zeit?
Do you have time today?

• Ich kam zur rechten Zeit.
I came at the right time.

Mal means 'time' in the sense of one occasion:

• Sie geht zum ersten Mal in die Oper.
She goes to the opera for the first time.

Uhr (clock, watch) is only used when asking for the time:

• Wieviel Uhr ist es?
What is the time?

Exercises

(*a*) Translate:
1. We would have arrived in Vienna in time if we had not had a breakdown.
2. If we had not lost our way, we would not have been so late.
3. I would never have thought that we would see each other again so soon.
4. We thought of you yesterday when we were talking about our holidays in Bavaria.

(*b*) Answer in German:
1. Whom did Gisela and Helmut meet at the opera?
2. What was their friend wearing?
3. How did Gisela like the first act?
4. Who did their friend think Helmut was?

Kreuzworträtsel

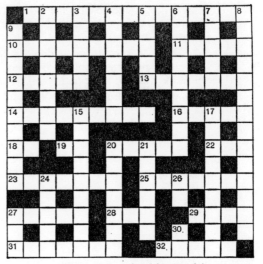

(β is spelt *ss* in this puzzle)

ACROSS

1. Opera by Mozart (3, 11)
10. Where you send the laundry (9)
11. Below (5)
12. Gladly (5)
13. To listen to (7)
14. A theme in music (9)
16. Opposite of friend (5)
18. with 21 down: amazed (8)
19. If, whether (2)
20. A metal (5)
22. Never (3)
23. At last (7)
25. Bus (7)
27. Famous German painter (5)
28. Indefinite article (3)
29. Short for Rudolf (4)
31. Sword (7)
32. Very strong coffee (5)

DOWN

2. Into the fresh air (3, 5)
3. Teeth (5)
4. Not right? (7)
5. Girl's name (5)
6. Airport (9)
7. Austria without the 'Reich' (5)
8. Thirty-one (14)
9. Eternal love (5, 5)
15. Furnished (rooms) (9)
17. Austrian town (9)
20. He held or stopped (2, 5)
21. see 18 across
24. Through (5)
26. Do! (to a close friend) (2)
27. *Was ist. . .?* (3)
30. So? (2)

19 | Die Gerichtsverhandlung

Pförtner: Wohin wollen Sie bitte?

Helmut: Zur Gerichtsverhandlung.

P: Als Zuhörer oder Zeuge?

H: Meine Frau als Zuhörer und ich als Zeuge.

05 P: Die Dame muß in die Zuhörergalerie, und der Herr muß in der Halle warten. Erst werden die Angeklagten vernommen, und dann werden die Zeugen in den Gerichtssaal gerufen.

H: Wenn es nur schon vorbei wäre! Ich wünschte, ich hätte damals meine Sekretärin um den Kassenschrankschlüssel gebeten. Die ganze Sache wäre
10 nicht so unangenehm, wenn ich schon länger in der Firma wäre.

Gisela: Es wird schon gut gehen. Die arme Frau Bitterich tut mir nur leid, weil ihr Joachim einer der Angeklagten ist. Sie hat mir schon immer

111

gesagt, der Junge mache ihr Sorgen. Es wäre nie so weit gekommen, wenn er nicht in der Nacht des Einbruchs mit deiner Sekretärin ausgegangen wäre.

H: Wer weiß, ob sie ihm nicht den Schlüssel gegeben hat. Vielleicht hat er sich einen zweiten Schlüssel machen lassen. Na, wir werden sehen. Ich wünschte nur, ich hätte nichts mit der ganzen Sache zu tun.

G: Also, wir treffen uns nach der Verhandlung am Ausgang. Ich halte dir den Daumen.

* * *

Vorsitzender: Ich bitte um Ruhe. Die Angeklagten werden jetzt vernommen. Angeklagter Bitterich und Angeklagter Krumm. Bitterich, Ihr Vorname, bitte.

Bitterich: Joachim.

V: Ihr Alter?

B: Achtzehn.

V: Und Ihr Beruf?

B: Arbeitslos.

V: Angeklagter Krumm. Vorname, Alter, Beruf?

Krumm: Mir können Sie nichts beweisen.

V: Antworten Sie auf meine Fragen. Ihr Vorname, Alter, Beruf?

K: Fritz. Neunzehn. Automechaniker.

V: Wie Sie wissen, wurde in der Nacht zum Fastnachtsdienstag in der Maschinenfabrik eingebrochen. 100 000 Mark wurden gestohlen. Bitterich, können Sie darüber etwas sagen?

B: Ich weiß nichts davon.

V: In der gleichen Nacht wurde nicht weit von der Fabrik ein Motorrad gefunden. Wissen Sie etwas davon?

B: Nein. Ich weiß nichts von einem Motorrad.

V: Kennen Sie den Angeklagten Krumm, der neben Ihnen sitzt?

B: Ja. Den kenne ich gut.

V: Woher kennen Sie ihn?

B: Er arbeitet in der Garage am Marktplatz, wo ... wo ...

V: Was meinen Sie mit „wo"? Bitte fahren Sie fort!

B: Wo ... in der Garage. Der ist an allem schuld. Er hat mein Motorrad gestohlen, der Lump. Morgens habe ich es von ihm reparieren lassen.

V: Sie haben vorhin gesagt, daß Sie nichts von einem Motorrad wüßten. Erklären Sie uns das genauer!

B: Ich hab's doch nicht mehr. Der Lump! Er hat sich einen Schlüssel für mein Motorrad gemacht. Er hat gewußt, daß ich abends mit meiner Freundin ins „Kapitol" gehen würde. Da hat er nichts Besseres zu tun gehabt, als mein Motorrad zu klauen, der schlaue Hund. Und jetzt meint er noch, er könnte die Schuld wegen des Einbruchs auf mich schieben. Ich habe keinen Pfennig gestohlen.

V: Können Sie das beweisen?

B: Ich hab' überhaupt nichts damit zu tun gehabt. Ich will mein Motorrad wieder haben.

112

V: Sie haben es der Polizei nicht gemeldet, daß ihr Motorrad gestohlen wurde. Ich werde die Verhandlung einen Augenblick unterbrechen und den ersten Zeugen rufen.

*   *   *

G: Kommen Sie, Fräulein Seifert. Beruhigen Sie sich! Es ist ja alles vorbei.

05 *Seifert:* Aber die Verhandlung geht doch heute nachmittag weiter, und wer weiß, wie sie ausgeht. Aber ich darf jetzt nicht mehr in den Gerichtssaal, weil ich Zeugin bin. Es ist ja alles meine Schuld.

G: Was meinen Sie damit? Sie haben doch mit Ihrer Aussage bewiesen, daß Joachim nichts mit dem Einbruch zu tun gehabt hat.

10 S: Glauben Sie, er wird freigesprochen? Der andere Kerl hat anscheinend gesagt, er hätte Joachim Schmiere stehen sehen.

G: Der will sich nur herausreden. Meiner Ansicht nach ist der Haupttäter entkommen, und Fritz Krumm war nur sein Gehilfe. Wie sie den Kassenschrank aufgemacht haben, ist noch ein Rätsel.

15 S: Ach, Frau Förster, wenn ich Joachim nur nicht den Kassenschrankschlüssel gegeben hätte!

G: Was haben Sie? Sie haben ihm wirklich den Kassenschrankschlüssel gegeben?

S: Ja. Wir wollten ausgehen. Es war schon spät. Ich wollte schnell nach 20 Hause gehen und mich umziehen. Ich dachte, inzwischen könnte er Ihrem Mann den Schlüssel bringen. Bitte, bitte, sagen Sie Ihrem Mann nichts davon. Er wird mir kündigen.

G: Fräulein Seifert, wie kann man so leichtsinnig mit einem Kassenschrankschlüssel umgehen! Wenn das herauskommt ...

das Alter	age
antworten (auf + *acc.*)	to reply (to), answer
arbeitslos	unemployed
der Automechaniker(–)	car mechanic
der Beruf(–e)	occupation, profession
sich beruhigen	to calm down
beweisen(–, ie, ie) (+ *dat.*)	to prove (against)
*entkommen(–, a, o)	to escape
fort|fahren(ä, u, a)	to go on, continue
frei|sprechen(i, a, o)	to acquit
der Gehilfe(–n *w.*)	accomplice
der Gerichtssaal(–säle)	court room
der Haupttäter(–)	chief culprit
sich heraus|reden	to talk oneself out (of something)
der Hund(–e)	dog
klauen	to pinch
kündigen(+ *dat.*)	to give notice (to)
der Lump(–en)	scoundrel
melden	to notify, report
schlau	sly, crafty
*um|gehen(–, i, a) mit	to handle, deal with
vernehmen(i, a, o)	to question, interrogate
vorbei	over, past
der Vorsitzende(–n)	presiding magistrate, chairman
der Zuhörer(–)	listener, member of the audience

gut gehen	to turn out all right
es wäre nie so weit ge-kommen	it would never have come to such a pass
ich halte den Daumen	I'll keep my fingers crossed
ich bitte um Ruhe	silence, please!
schuld sein an(+ *dat.*)	to be to blame for
die Schuld schieben auf (+ *acc.*)	to put the blame on
Schmiere stehen	to be a look-out
meiner Ansicht nach	in my opinion
es kommt heraus	it is found out

Main uses of subjunctive

reported speech   i.e. after verbs of saying, feeling, thinking, asking:

- Er sagte, er sei(wäre) krank.
  He said he was ill.
- Ich dachte, Sie hätten es vergessen.
  I thought you had forgotten it.
- Sie fürchtet, sie habe (hätte) das Geld verloren.
  She is afraid she lost the money.
- Er fragt, wann Sie ihn besuchen würden.
  He wants to know when you are going to visit him.

statements of wishful thinking
- Ich wünschte, ich wüßte nichts davon.
  I wish I did not know anything about it.
- Wäre es nur vorbei.
  If only it were over.

after *als ob, als wenn*
- Es sieht aus, als ob es bald regnen würde.
  It looks as if it would rain soon.

polite requests
- Wären Sie so freundlich und würden mich anrufen?
  Would you be so kind and ring me?
- Könnten Sie mir helfen?
  Could you help me?

statements implying doubt or unreality
- Ich würde es gern tun.
  I would gladly do it.
- Man meint, man wäre im Mittelalter.
  You would think you were (living) in the Middle Ages.

wenn-clauses implying unreality   (note that the past subjunctive must be used in both clauses)
- Wenn ich genug Geld hätte, führe ich nach Amerika (würde ich nach Amerika fahren).
  If I had enough money, I would go to America.
- Wenn ich nicht so müde wäre, ginge ich aus (würde ich ausgehen).
  If I weren't so tired I would go out.

Use of tenses in reported speech

1. The tense of the main clause does not affect the tense of the subjunctive in the dependent clause:

er sagt
er sagte } sie *sei* reich
er hat gesagt

2. However, the tense of the original statement does affect the tense of the reported statement:

original statement		reported statement	
present	„Sie *ist* reich" „Er *hat* Hunger"	sie *sei*(*wäre*) reich er *habe*(*hätte*) Hunger	present/past subjunctive
future	„Er *wird* schreiben"	er *werde*(*würde*) schreiben	present/past subjunctive of *werden* + infinitive
past perfect pluperfect	„Sie *war* reich" „Sie *ist* reich gewesen" „Sie *war* reich gewesen"	sie *sei*(*wäre*) reich gewesen	present/past subjunctive of *haben* or *sein* + past participle
	„Er *hatte* Hunger" „Er *hat* Hunger gehabt" „Er *hatte* Hunger gehabt"	er *habe*(*hätte*) Hunger gehabt	
	„Er *schrieb*" „Er *hat geschrieben*" „Er *hatte geschrieben*"	er *habe*(*hätte*) geschrieben	

3. Note that the present and past subjunctive convey the same meaning. But the past subjunctive must be used when the present subjunctive is identical with the indicative:

er sagt, sagte, hat gesagt:
original statement: „Sie *haben* Hunger"
reported statement: sie *hätten* Hunger

115

Nouns with adjectival endings

Some nouns which are derived from adjectives or participles take the same endings as adjectives before nouns:

der Deutsche, ein Deutscher⎫
die Deutsche, eine Deutsche⎭ German

der Angeklagte, ein Angeklagter accused, defendant

der Beamte, ein Beamter official, civil servant

der Vorsitzende, ein Vorsitzender chairman

- Er ist mit einer Deutsche*n* verheiratet.
  He is married to a German girl.
- Bitte antworten Sie auf die Frage des Vorsitzend*en*!
  Please answer the chairman's question.

Difference between *tun* and *machen*

tun is the general word for 'to do':
Ich habe nichts zu tun.
I have nothing to do.

- Wer hat es getan?
  Who has done it?

machen means 'to make' and 'to do' and implies a specific action:

- Ich habe mir ein Kleid gemacht.
  I made myself a dress.
- Wie haben Sie das gemacht?
  How did you do that (that particular thing)?

In colloquial speech *machen* and *tun* are sometimes used with the same meaning:

- Was machen Sie morgen?⎫ What are you
  Was tun Sie morgen?   ⎭ doing tomorrow?

Exercises

(*a*) Put into reported speech:
Mein Mann sagt: „Ich bin sehr müde. Ich will nicht weiterfahren. Ich weiß nicht, was mit dem Auto los ist. Der Motor läuft so schlecht. Ich werde aussteigen und nachsehen." Ich frage ihn: „Haben wir genug Benzin?" Er sagt: „Ich habe vorhin fünf Liter getankt."

(*b*) Translate:
1. I have spoken to the official. He says I must come again tomorrow.
2. Ask your neighbour if he could lend you some money.
3. It would be so nice if we could go on leave next week.

Zungenbrecher   Die Katze tritt die Treppe krumm.

Kreuzworträtsel

ACROSS

1. Safe place for money (13)
9. It's bigger than a door (3)
10. Her or your (3)
11. One of the 3 R's (9)
12. Branch (3)
14. Often (3)
15. South, before a country or continent (3)
17. Joke (4)
18. Circle (5)
19. Side dish (5)
21. Meal (5)
22. Egg (2)
24. Public office (3)
25. Into the (before a neuter noun) (3)
27. Whether (2)
29. It is transparent (4)
30. and 36 across: I am (3, 3)
31. Breakdown (5)
33. Marriage (3)
34. Ask! (to a close friend) (4)
35. Othello was one (4)
36. see 30 across
38. Of the (masc. and neuter) (3)
39. German art (8, 5)

DOWN

1. Part of leg (4)
2. Penalty (6)
3. Such (2)
4. Only or first (4)
5. Keyhole (13)
6. Here (4)
7. Work (6)
8. Distinguishing mark (11)
13. Gay atmosphere (8)
14. Locality (3)
16. Definite article to go with 5 down (3)
17. At what time? (4)
20. More softly (6)
23. Head (4)
26. Three and four is . . . (6)
28. Open for drinks (3)
32. Well, well! (4)
37. Eat! (fam. sing.) (3)
38. You (fam. sing.) (2)

(β is spelt *ss* in this puzzle)

20 Im Kabarett

Helmut: Ah, eben kommt der Herr Direktor mit seiner Frau.

Gisela: Ist das seine Frau? Sie sieht viel jünger aus als er!

H: Sie ist sehr hübsch, nicht wahr? Sie kommt mir bekannt vor. Guten Abend, Herr Direktor. Darf ich bekanntmachen – Herr Direktor, meine
05 Frau.

Direktor: Sehr angenehm, Frau Förster. Darf ich vorstellen – meine Tochter Ingeborg, Herr und Frau Förster. Meine Frau läßt sich entschuldigen. Sie konnte leider nicht mitkommen. Sie bekam unerwartet Besuch von ihrer Schwester. An ihrer Stelle habe ich meine Tochter mitgebracht, denn
10 sie geht so gern ins Kabarett.

H: Ist Ihnen dieser Tisch recht?

D: Ja. Sehr schön. Von hier aus kann man die Bühne gut sehen.

H: Eben kommt schon unser Sekt. Heute haben wir allen Grund zu feiern, nicht wahr?

15 D: Ich kann Ihnen nicht sagen, wie froh ich bin, daß die Diebe nicht entkommen sind. Zwei Kerle wurden heute nachmittag in einer Kneipe verhaftet. Ein Taxichauffeur hat sie erkannt und rief die Polizei. Bitterich ist freigesprochen worden und hat nur eine Geldstrafe bekommen, weil er ohne Führerschein Motorrad gefahren ist. Fritz Krumm hat Glück
20 gehabt und ist nur verwarnt worden.

Ingeborg: Mein Vater hatte große Angst, irgend jemand in der Fabrik habe das Geld gestohlen. Das wäre doch sehr unangenehm für Sie alle gewesen. Aber es ist ja alles gut ausgegangen. Das ist die Hauptsache.

D: Eben fängt das Kabarett an.

25 *Ansager:* Meine Damen und Herren. Wir haben heute abend eine besondere Überraschung für Sie – unser Michl aus München. Michl, was ist denn mit dir los? Du kannst ja nicht mehr geradegehen. Bleib mal stehen. Ich glaube, er ist nervös, oder vielleicht hat er einen Schwips!

Michl: „Ich hab' einen Schwips,
30 und der Schwips, der hat mich,
um mich dreht sich alles im Kreis.
Das eine steht fest,
was net fest steht, bin i',
und das is' für'n Schwips der Beweis!"

35 „Mei' Alte, die hat kein Verständnis dafür,
für so was, da fehlt ihr das G'fühl.
Die schimpft wie a' Rohrspatz
und weist mir die Tür,
und das is' genau, was ich will."

118

> „Ich hab' einen Schwips,
> und der Schwips, der hat mich,
> um mich dreht sich d' Welt schön im Kreis.
> Das eine steht fest,
05 was net fest steht, bin i,
> und das is' für'n Schwips der Beweis!" *

D: Sehr gut, nicht wahr? Ein richtiger Bayer. Darf ich Ihnen noch Sekt einschenken, Frau Förster?

G: Wenn ich weitertrinke, habe ich gleich einen Schwips, und mein Alter
10 schimpft wie a' Rohrspatz!

I: Sind Sie auch aus Bayern, Frau Förster?

G: Nein, aber wir waren gerade ein paar Tage in München, und ich habe ein bißchen Dialekt gelernt. Mein Mann lacht immer über mich, wenn ich die Bayern nachmache.

15 D: Meine Tochter kann so gut die Norddeutschen nachmachen. Ingeborg, versuch's mal!

I: Ich komme aus Hannover, wo man „über einen spitzen Stein stolpert".

G: Sprechen die Leute dort das „st" und „sp" wirklich noch so aus?

I: Ja, ja. Sie sind sehr stolz darauf. Für jemand, der gewöhnt ist, hoch-
20 deutsch zu sprechen, klingt das sehr komisch. Ah, das Kabarett geht schon wieder weiter.

A: Nun, meine Damen und Herren, unsere nächste Nummer, ein Song, den Sie alle kennen. Das berühmte Lied vom Mackie Messer aus der „Dreigroschenoper"!

25
> „Und der Haifisch, der hat Zähne,
> und die trägt er im Gesicht,
> und MacHeath, der hat ein Messer,
> doch das Messer sieht man nicht."

> „An 'nem schönen, blauen Sonntag
30 liegt ein toter Mann am Strand,
> und ein Mensch geht um die Ecke,
> den man Mackie Messer nennt."

> „Und Schmul Meier bleibt verschwunden
> und so mancher reiche Mann,
35 und sein Geld hat Mackie Messer,
> dem man nichts beweisen kann . . ."

H: „dem man nichts beweisen kann . . ." Das Lied erinnert mich an die Gerichtsverhandlung und den Jungen, der immer geantwortet hat: „Mir können Sie nichts beweisen."

40 I: Herr Förster, Ihr Glas ist leer. Darf ich es nachfüllen?

H: Bitte, aber nicht zuviel.

I: Wenn ich mich recht erinnere, trinken Sie gern Sekt.

---

* Bavarian dialect forms occurring in this song:

net	= nicht	mei'	= meine
i'	= ich	G'fühl	= Gefühl
is'	= ist	wie a'	= wie ein
für'n	= für den	d'Welt	= die Welt

H: Haben wir uns denn schon einmal getroffen?

I: Ja. Beim Fasching, auf dem Ball im Rathaus.

H: So?

I: Waren Sie nicht als Gestiefelter Kater verkleidet?

05 H: Und Sie als Spanierin? Ach, du lieber Himmel!

D: Sie kennen meine Tochter schon, Herr Förster?

H: Wir haben gerade entdeckt, daß wir uns durch Zufall auf dem Maskenball im Rathaus getroffen haben.

D: So, so, auf dem Maskenball! Das war ein schöner Abend.

10 G: Sie waren auch dort? Was für ein Kostüm trugen Sie denn, Herr Direktor, wenn ich fragen darf?

D: Ich war auf so vielen Faschingsbällen. Ich kann mich nicht mehr so genau erinnern, ich glaube . . .

I: Du warst doch als Teufel verkleidet.

15 G: . . . und Sie tanzten ein paar Mal mit einer Zigeunerin.

D: Woher wissen Sie denn das, gnädige Frau?

H: Darf ich Ihnen die Zigeunerin vorstellen, Herr Direktor? Sie sitzt neben Ihnen.

D: So ein Zufall! Dann sind wir ja alle schon alte Bekannte. Darauf müssen
20 wir anstoßen. Zum Wohl, gnädige Frau, zum Wohl, Herr Förster. Auf unsere alte Freundschaft!

G. und H: Zum Wohl! Zum Wohl!

anlstoßen(ö, ie, o) auf (+ *acc.*)	to drink to someone or something
auslsprechen(i, a, o)	to pronounce
die Dreigroschenoper	Threepenny Opera
einlschenken	to pour out (wine etc.)
entdecken	to discover
festlstehen(-, a, a)	to stand firm, be certain
die Freundschaft	friendship
gewöhnt	accustomed
hochdeutsch	High German, standard German
lachen (über + *acc.*)	to laugh (at)
nachlfüllen	to fill up (glass etc.)
nachlmachen	to imitate
spitz	sharp, pointed
der Stein(-e)	stone
*stolpern	to stumble
stolz	proud
unerwartet	unexpected(ly)
verhaften	to arrest
verwarnen	to caution

sich entschuldigen lassen	to send one's apologies
an ihrer Stelle	in her place
wie ein Rohrspatz schimpfen	to scold like a fishwife
zum Wohl!	your health, cheers!

Sprichwort

Ende gut, alles gut. *All's well that ends well.*

German today German is not only spoken in Germany and Austria, but also in the northern part of Switzerland where the prevailing dialect is called *Schwyzerdütsch*.

Apart from Austrian and *Schwyzerdütsch*, German possesses a large number of dialects which fall into two main groups: North German which includes *plattdeutsch* (a dialect similar to Dutch), and South German which includes *schwäbisch* and *bayerisch*. *Hochdeutsch*, standard German, is spoken by all educated Germans, although in the Southern parts dialect speech is considered perfectly normal in everyday conversation.

Many English words have recently been absorbed into German, and their everyday use, especially among young people, is very common. Some of these words have undergone a slight change of meaning. They are pronounced the English way:

der Job(-s)	job
jobben	to take on odd jobs
der Manager(-)	manager
managen	to manage, arrange
der Service	car service
der Snob(-s)	snob
snobistisch	snobbish
der Star(-s)	film or opera star, outstanding personality
das Starlet(-s)	starlet
die Story(-s)	plot of story, story
der Teenager(-)	teenager
der Test(-s)	test
testen	to test
der Twen(-s)	person in their twenties
das Weekend(-s)	long weekend

Exercise Translate:

Dear Friends,
    Many thanks for your interesting letter which we only received yesterday. It seems to me as if you won't have time to visit us. How do you like the hotel? It looks charming and I think it is exactly what you wanted. If I had the opportunity to go on holiday this year I would certainly go to Italy too. Last summer I spent a whole month there. I went by train,

but if I go there again I shall go by car. I wish Rudolf could come along too. If only he were younger. But in my opinion a long trip is too strenuous for him. I hope you'll both have a good rest and will write again soon.

All the best,
Anne

Kreuzworträtsel

(ß is spelt ss in this puzzle)

ACROSS
1. You throw it at carnival time (12)
8. Advice (3)
9. To wash up (6)
10. Abbreviation for a military decoration (1, 1)
12. Sat (4)
13. Cheers! (5)
14. Beast of burden (4)
17. Faithful (4)
18. (They) went up (7)
21. Colour(film) (4)
22. High (4)
24. Tree (4)
25. It (2)
26. Tomcat or hangover (5)
27. Prickly animal (4)
28. You wear them on your head (4)
30. They twinkle in the sky (6)
33. How or as (3)
34. Saw (3)
37. Man's name (3)
38. and 44 across: that's right (2, 6)
40. Eat them when you've a hangover (5, 7)
44. see 38 across
45. Sea (3)
46. Preposition (2)

DOWN
1. (I) read (4)
2. (I) have breakfast (10)
3. Valley (3)
4. To steal (7)
5. Empty (4)
6. 26 across wore boots (10)
7. Fancy-dress balls (11)
11. You wear it for 7 down (6)
13. Italian river (2)
15. Inseparable prefix (2)
16. You have it when you're tipsy (7)
19. You use it for heating or cooking (3)
20. Was (3)
23. Neck (4)
24. Talked over (7)
28. Armies (5)
29. Eternal (4)
31. Tower (4)
32. Raw (3)
35. Part of tree (3)
36. Shark (3)
39. They (3)
41. Around (2)
42. It replaces a neuter noun (2)
43. Boiled for breakfast (2)

Table of declensions

		plural in –e with or without *Umlaut*		plural in –er with *Umlaut* where possible		plural in –(e)n no *Umlaut*		no plural ending nouns in –el, –en, –er with or without *Umlaut*	
		singular	plural	singular	plural	singular	plural	singular	plural
MASCULINE	nom: acc: gen: dat:	Sohn Sohn Sohn es Sohn (e)	Söhn e Söhn e Söhn e Söhn en	Mann Mann Mann es Mann (e)	Männ er Männ er Männ er Männ ern	*weak* Junge Junge n Junge n Junge n	 Junge n Junge n Junge n Junge n	Vater Vater Vater s Vater	Väter Väter Väter Väter n
	nom: acc: gen: dat:	Tag Tag Tag es Tag (e)	Tag e Tag e Tag e Tag en			*weak* Mensch Mensch en Mensch en Mensch en	 Mensch en Mensch en Mensch en Mensch en	Engel Engel Engel s Engel	Engel Engel Engel Engel n
NEUTER	nom: acc: gen: dat:	Jahr Jahr Jahr es Jahr (e)	Jahr e Jahr e Jahr e Jahr en	Land Land Land es Land (e)	Länd er Länd er Länd er Länd ern	Auge Auge Auge s Auge	Auge n Auge n Auge n Auge n	Zeichen Zeichen Zeichen s Zeichen	Zeichen Zeichen Zeichen Zeichen
	nom: acc: gen: dat:			Kind Kind Kind es Kind (e)	Kind er Kind er Kind er Kind ern				
FEMININE	nom: acc: gen: dat:	Hand Hand Hand Hand	Händ e Händ e Händ e Händ en			Flasche Flasche Flasche Flasche	Flasche n Flasche n Flasche n Flasche n	Mutter Mutter Mutter Mutter	Mütter Mütter Mütter Mütter n
	nom: acc: gen: dat:					Fahrt Fahrt Fahrt Fahrt	Fahrt en Fahrt en Fahrt en Fahrt en		

A number of nouns of foreign origin (e.g. Auto, Hotel, Radio) add –s in the genitive singular and in all plural cases.

	dieser, jeder, welcher				*ein, kein,* possessive adjectives			
	singular M	 F	 N	plural all genders	singular M	 F	 N	plural all genders
nom: acc: gen: dat:	–er –en –es –em	–e –e –er –er	–es –es –es –em	–e –e –er –en	– –en –es –em	–e –e –er –er	– – –es –em	–e –e –er –en

List of strong and irregular verbs

(only 'parent' verbs are given; verbs with prefixes follow the same pattern)

Infinitive	Present tense	Past tense	Past participle
beginnen *begin*		begann	begonnen
bieten *offer*		bot	geboten
binden *bind*		band	gebunden
bitten *request*		bat	gebeten
*bleiben *stay*		blieb	geblieben
brechen *break*	bricht	brach	gebrochen
brennen *burn*		brannte	gebrannt
bringen *bring*		brachte	gebracht
denken *think*		dachte	gedacht
dürfen *be allowed*	darf	durfte	gedurft
empfehlen *recommend*	empfiehlt	empfahl	empfohlen
essen *eat*	ißt	aß	gegessen
*fahren *travel*	fährt	fuhr	gefahren
*fallen *fall*	fällt	fiel	gefallen
fangen *catch*	fängt	fing	gefangen
finden *find*		fand	gefunden
*fliegen *fly*		flog	geflogen
geben *give*	gibt	gab	gegeben
*gehen *go*		ging	gegangen
genießen *enjoy*		genoß	genossen
greifen *seize*		griff	gegriffen
haben *have*	hat	hatte	gehabt
halten *stop, hold*	hält	hielt	gehalten
hängen *hang*		hing	gehangen
helfen *help*	hilft	half	geholfen
heißen *be named*		hieß	geheißen
kennen *know*		kannte	gekannt
klingen *sound*		klang	geklungen
*kommen *come*		kam	gekommen
können *be able*	kann	konnte	gekonnt
laden *summon, load*	lädt	lud	geladen
lassen *leave*	läßt	ließ	gelassen
*laufen *run*	läuft	lief	gelaufen
leihen *lend*		lieh	geliehen
lesen *read*	liest	las	gelesen
liegen *lie*		lag	gelegen
messen *measure*	mißt	maß	gemessen
mögen *like*	mag	mochte	gemocht
müssen *have to*	muß	mußte	gemußt
nehmen *take*	nimmt	nahm	genommen
nennen *name*		nannte	genannt
pfeifen *whistle*		pfiff	gepfiffen
raten *advise*	rät	riet	geraten
*rennen *run*		rannte	gerannt
rufen *call*		rief	gerufen
scheinen *shine, seem*		schien	geschienen
schieben *push, shove*		schob	geschoben
schlafen *sleep*	schläft	schlief	geschlafen
schlagen *strike*	schlägt	schlug	geschlagen
schließen *shut*		schloß	geschlossen
schreiben *write*		schrieb	geschrieben
*schwinden *dwindle*		schwand	geschwunden
sehen *see*	sieht	sah	gesehen
*sein *be*	ist	war	gewesen
singen *sing*		sang	gesungen
*sinken *sink*		sank	gesunken

Infinitive	Present tense	Past tense	Past participle
sitzen *sit*		saß	gesessen
sollen *be supposed to*	soll	sollte	gesollt
sprechen *speak*	spricht	sprach	gesprochen
stechen *sting*	sticht	stach	gestochen
stehen *stand*		stand	gestanden
stehlen *steal*	stiehlt	stahl	gestohlen
*steigen *rise, climb*		stieg	gestiegen
stoßen *push, knock*	stößt	stieß	gestoßen
tragen *carry*	trägt	trug	getragen
treffen *meet*	trifft	traf	getroffen
treiben *drive, push*		trieb	getrieben
*treten *tread*	tritt	trat	getreten
trinken *drink*		trank	getrunken
tun *do*		tat	getan
vergessen *forget*	vergißt	vergaß	vergessen
verlieren *lose*		verlor	verloren
waschen *wash*	wäscht	wusch	gewaschen
*weichen *yield*		wich	gewichen
weisen *show*		wies	gewiesen
*werden *become*	wird	wurde	geworden
werfen *throw*	wirft	warf	geworfen
wiegen *weigh*		wog	gewogen
wissen *know*	weiß	wußte	gewußt
wollen *want to*	will	wollte	gewollt
*ziehen *go, march*		zog	gezogen

Key to Exercises

1

(a) 1. wird (werden) 2. wollen 3. wird 4. will

(b) 1. Wir haben Glück gehabt. 2. Wann wird sie kommen? 3. Er will seine Stelle wechseln. 4. Ich werde das Geschirr spülen.

2

(a) 1. Helmut war als Gestiefelter Kater verkleidet. 2. Gisela tanzte mit dem Mann im Teufelskostüm. 3. Saure Heringe und schwarzer Kaffee sind das beste Mittel gegen den Kater. 4. Der Umzug begann um zwölf Uhr mittags.

(b) 1. gefiel 2. tanzten – tranken 3. war 4. blieben – regnete

3

1. Dieser Brief ist von meinem Mann geschrieben worden. 2. Er wurde von seinen Freunden nach Hause gefahren. 3. Der Dieb ist von dem Polizeiwachtmeister gefangen worden. 4. Hier wird getanzt und getrunken. 5. Die Sekretärin wird von der Polizei verhört.

4

(a) 1. Ich bleibe zu Hause, weil ich Kopfschmerzen habe. I am staying at home because I have a headache. 2. Bitte fragen Sie ihn, ob er heute abend ins Theater geht. Please ask him if he is going to the theatre tonight. 3. Wir machen einen Ausflug, wenn das Wetter schön ist. We'll go for an outing if the weather is fine. 4. Ich bin froh, daß ich nach Hamburg fahre. I am glad that I am going to Hamburg.

(b) 1. Meine Sekretärin weiß nicht, wo der Kassenschrankschlüssel ist. 2. Der Zug nach Berlin fährt von Bahnsteig (Gleis) fünf ab. 3. Kennen Sie (Kennst du) die Dame mit dem schwarzen Hut? 4. Ich will heute abend nicht ausgehen, weil ich die Wohnung aufräumen muß.

5

(a) 1. mich – uns 2. sich 3. sich 4. dich

(b) 1. Ich habe meine geschäftlichen Sachen erledigt. 2. Mein Freund hat mir alles erzählt. 3. Ich habe nicht verstanden, was Sie mir gesagt haben. 4. Warum haben Sie die Waren nicht besser verpackt?

6

(a) 1. Wenn das Wetter morgen schön ist, wird er einen Spaziergang machen (wird er spazierengehen). 2. Ich möchte (gern) wissen, wann der nächste Zug abfährt. 3. Als ich ihn anrufen wollte, war die Nummer besetzt. 4. Es regnet immer, wenn ich ohne Regenschirm ausgehe.

(b) 1. bin 2. ist 3. haben 4. sind

7

(a) 1. davon. He didn't know anything about it. 2. daran. I cannot get used to it. 3. damit. You will be very satisfied with them. 4. darin. There is nothing in it.

(b) Ich brauchte ein Paar Schuhe. Ich ging in ein großes Schuhgeschäft in der Hauptstraße. Die Verkäuferin sagte: „Womit kann ich dienen?" („Was darf es sein?") Ich sagte ihr, daß ich gern ein Paar braune Schuhe hätte (möchte). „Welche Größe, bitte?" fragte sie. „Größe siebenunddreißig." Sie brachte mir zwei Paar Schuhe. Ein Paar war hellbraun, das andere schwarz. Sie gefielen mir gar nicht. „(Es) tut mir leid, gnädige Frau", sagte die Verkäuferin, „die braunen Schuhe in Ihrer Größe sind alle ausverkauft."

8

Lieber Paul,

Vielen Dank für Ihren (Deinen) Brief. Ich freue mich sehr (Ich bin sehr froh), daß Sie (Du) diesen Sommer nach England kommen (kommst). Sie wissen (Du weißt), daß Sie (Du) versprochen haben (hast), uns zu besuchen. Sie müssen (Du mußt) Ihr (Dein) Versprechen halten. Hoffentlich haben Sie (hast Du) während Ihres (Deines) Besuchs gutes Wetter. [Ich hoffe, daß Sie (Du) während Ihres (Deines) Besuchs gutes Wetter haben (hast)]. Heute scheint die Sonne hier in London, aber die Wettervorhersage für morgen ist nicht sehr gut. Wer hat Ihnen (Dir) erzählt (gesagt), daß ich Auto fahren lerne? Es sollte ein Geheimnis sein. Ich nehme seit einem Monat Fahrstunden. Ich muß sagen, es macht mir Spaß (daß es mir Spaß macht), aber es ist nicht leicht. Wenn Sie kommen (Du kommst), werde ich Sie (Dich) selbst mit dem Auto abholen.

Jetzt muß ich an die Arbeit gehen. Einen schönen Gruß an Ihre (Deine) Mutter.

Herzliche Grüße,
Ihr (Dein) Rudi

9

1. Wir fahren in drei Monaten nach Österreich. 2. Liebling, du darfst nicht vergessen, die Rechnung zu bezahlen. 3. Auf Maskenbällen darf man mit Leuten tanzen, die man nicht kennt. 4. Ich habe noch genug Geld, um ein Sommerkleid zu kaufen, aber ich habe noch kein Kleid gesehen, das mir wirklich steht. 5. Der Mann, der die Wäsche brachte, trug einen dunkelgrauen Mantel. 6. Ich möchte (gern) mit dem Herrn sprechen, dessen Tochter ich im Zug traf (getroffen habe).

10

(a) 1. Wir haben noch nicht herausgefunden, wer das Geld gestohlen hat. 2. Mit wem haben Sie (hast du) auf dem Ball getanzt? [Mit wem tanzten Sie (tanztest du) auf dem Ball?] 3. Wessen Auto (Wagen) steht vor meinem Haus? 4. Woher kam der Mann, mit dem sie im Flugzeug sprach? 5. Hier ist der Paß meiner Frau. Bitte geben Sie (gib) ihn ihr zurück!

(b) 1. ob. I don't know if (whether) I'll have time to go to the hairdresser. 2. wenn. We can go to the sale if you feel like it. 3. wenn. If it's all right by you I'll ring you tomorrow.

11

(a) 1. im (in dem) 2. ins (in das) 3. dem 4. der 5. die 6. der

(b) 1. Er sagte, er werde morgen kommen (daß er morgen kommen werde). 2. Mein Freund schreibt, er sei krank und müsse im Bett liegen (daß er krank sei und im Bett liegen müsse). 3. Der Arzt sagt, Herr Förster habe kein Fieber (daß Herr Förster kein Fieber habe).

(c) Er stellte mich seinen Freunden vor. Einer von ihnen kannte meine Frau. Er hatte sie auf einem der Maskenbälle kennengelernt (getroffen). Ich lud ihn ein, uns am Sonntag zu besuchen. Er nahm die Einladung mit Vergnügen an.

12

(a) 1. seien 2. sind 3. habe 4. sei (seien)

(b) 1. Mein Bruder ist älter als ich, aber meine Schwester ist jünger als mein Bruder. 2. Sie bekommen (Du bekommst) den besten Wein in dem Restaurant da drüben. 3. Können Sie (Kannst du) diesen Brief ins Deutsche übersetzen? 4. Wo ist Ihre (deine) Mutter jetzt? Ist sie in Deutschland oder hier in England?

13

(a) 1. erst 2. nur 3. nur 4. erst

(b) „Könnten Sie (Könntest du) mich morgen nachmittag besuchen? Das wäre schön. Ich würde gern ins Kino gehen. (Ich ginge gern ins Kino.) Oder würden Sie (würdest du) lieber zu Hause bleiben?" – „Ja, ich würde gern kommen (ich käme gern). Ich habe Ihnen (dir) viel Interessantes zu erzählen. Aber leider habe ich etwas Wichtiges zu erledigen. Könnte ich morgen abend kommen?" – „Selbstverständlich (Natürlich)."

14

(*a*) 1. abfliegen sehen 2. lernt nähen 3. aufräumen helfen 4. essen gehen 5. waschen helfen 6. auswechseln lassen

(*b*) Ich fahre morgen nach Frankreich. Ich muß mit dem Zug fahren. Ich wollte mit dem Auto fahren, aber – stellen Sie sich vor (stell dir vor) – ich hatte gestern eine Panne. Es ist ein sehr alter Wagen (sehr altes Auto, eine Klapperkiste). Ich weiß nicht, was passiert ist. Der Motor lief schlecht und irgend etwas ging schief. Ich muß jetzt zum Bahnhof gehen und eine Fahrkarte kaufen. Soll ich laufen (zu Fuß gehen) oder soll ich mit der Straßenbahn fahren?

15

(*a*) 1. aber 2. sondern 3. sondern 4. aber

(*b*) Er: Ich wünschte, ich hätte nicht vergessen, Briefmarken zu kaufen. Ich habe zwei Postkarten und einen Brief geschrieben. Könnten wir nicht erst (zuerst) auf die Post (auf das Postamt, zur Post, zum Postamt) gehen und Briefmarken kaufen? Sie: Ja, das ist eine gute Idee. Ich muß auch hingehen, weil ich ein Telegramm aufgeben will. Ich könnte auf dem Weg zur Post (zum Postamt) auch einen neuen Farbfilm kaufen. Die Sonne scheint heute, und ich könnte so schöne Aufnahmen machen.

16

(*a*) „Sagen Sie (Sag) ihm, ich hätte heute keine Zeit (daß ich heute keine Zeit hätte). Fragen Sie (Frag) ihn, ob ich morgen kommen könne (könnte). Ich sagte ihm letzte Woche, ich hätte viel zu tun (daß ich viel zu tun hätte), aber er hat es wahrscheinlich vergessen." – „Warum sagen Sie (sagst du) ihm nicht, Sie hätten (du habest, hättest) eine wichtige Verabredung und würden (werdest, würdest) ihm schreiben [daß Sie (du) eine wichtige Verabredung hätten (habest, hättest) und ihm schreiben würden (werdest, würdest)]?" – „Ja, das ist bestimmt das Beste. Vielen Dank für Ihren (deinen) guten Rat."

(*b*) 1. Warum haben Sie Ihren Regenschirm nicht zu Hause gelassen? 2. Sie hat nicht vor dem Hotel parken können. Sie hat es nicht gedurft. 3. Er hat sich ein sehr schönes Haus bauen lassen. 4. Ich habe ihm alles zweimal erklären müssen.

17

(*a*) 1. nach 2. ins (in das) 3. zur (auf die) – in den 4. nach 5. Auf der 6. auf den 7. von

(*b*) Ich stieg in den Zug ein, ging in ein leeres Abteil und setzte mich ans (an das) Fenster. Der Schaffner kam herein und bat mich um meine Fahrkarte. Ich konnte sie nicht finden, und er fragte mich, wo ich meine Fahrkarte gekauft hätte. Ich gab ihm die Adresse des Reisebüros.

18

(*a*) 1. Wir wären zur rechten Zeit in Wien angekommen, wenn wir keine Panne gehabt hätten. 2. Wenn wir uns nicht verlaufen hätten, wären wir nicht so spät gekommen. 3. Ich hätte nie gedacht, daß wir uns so bald wiedersehen würden. 4. Wir dachten gestern an Sie (dich), als wir über unsere Ferien in Bayern sprachen.

(*b*) 1. Den Mann, den sie auf dem Ausflug nach Neuschwanstein getroffen hatten. 2. Er trug einen Smoking. 3. Gisela war ganz begeistert. 4. Er dachte, Helmut sei (wäre) Giselas Freund.

19

(*a*) Mein Mann sagt, er sei (wäre) sehr müde [daß er sehr müde sei (wäre)]. Er wolle nicht weiterfahren. Er wisse (wüßte) nicht, was mit dem Auto los sei (wäre). Der Motor laufe (liefe) so schlecht. Er werde (würde) aussteigen und nachsehen. Ich frage ihn, ob wir genug Benzin haben. Er sagt, er habe (hätte) vorhin fünf Liter getankt [daß er vorhin fünf Liter getankt habe (hätte)].

(*b*) 1. Ich habe mit dem Beamten gesprochen. (Ich sprach mit dem Beamten.) Er sagt, ich müsse (müßte) morgen wieder kommen [daß ich morgen wieder kommen müsse (müßte)]. 2. Fragen Sie (Frag) Ihren (deinen) Nachbarn, ob er Ihnen (dir) Geld leihen könne (könnte). 3. Es wäre so schön, wenn wir nächste Woche auf Urlaub gehen könnten.

20

Liebe Freunde,

Vielen Dank für Ihren (Euren) interessanten Brief, den wir erst gestern erhielten. Es kommt mir vor, als ob Sie (Ihr) keine Zeit haben würden (würdet), uns zu besuchen. Wie gefällt Ihnen (Euch) das Hotel? Es sieht reizend aus, und ich glaube, es ist genau, was Sie wollten (Ihr wolltet). Wenn ich die Gelegenheit hätte, dieses Jahr auf Urlaub (in Ferien) zu gehen, würde ich bestimmt auch nach Italien fahren (führe ich bestimmt auch nach Italien). Letzten Sommer verbrachte ich einen ganzen Monat dort. Ich fuhr mit dem Zug, aber wenn ich wieder hinfahre, werde ich mit dem Auto fahren. Ich wünschte (wollte), Rudolf könnte auch mitkommen. Wenn er nur jünger wäre! (Wäre er nur jünger!) Aber meiner Ansicht nach ist eine lange Reise (Fahrt) zu anstrengend für ihn. Hoffentlich erholen Sie sich (erholt Ihr Euch) beide gut und schreiben (schreibt) bald wieder. [Ich hoffe, daß Sie sich beide gut erholen (daß Ihr Euch beide gut erholt) und bald wieder schreiben (schreibt)].

Alles Gute, Anna.

Key to Puzzles

2

1. *war*t*en* 2. *end*l*ich* 3. *reparieren* 4. *Z*ei*chen* 5. *um*s*teigen* 6. *l*i*la* 7. *ein*m*al* 8. *Taube* 9. *Z*wiebeln 10. *T*asse 11. *Last*wagen 12. *arbeiten* 13. *ch*r*on*isch. Wer zuletzt lacht, lacht am besten.

3

Across: 1. erzählen 8. grau 9. Oasen 10. Schau 11. die Wohnung 15. Anna 17. vor 19. Kuh 21. gehabt 22. Adam 24. Tee 25. Natur 27. gern 28. Mars 29. stumm 30. tu! *Down:* 1. and 20: er hat 2. raten 3. zu 4. hoch 5. Lahn 6. Esaus Vater 7. neun 8. Gedanken 10. so 12. in 13. war 14. Gärten 16. dem 18. Oberst 21. gar 23. dumm 26. alt 27. gab

5

1. *Gewit*t*er* 2. *Einkom*m*en* 3. *Limon*a*de* 4. *einfa*c*h* 5. *Geburt*s*tag* 6. *Einl*a*dung* 7. *neunzig* 8. *H*ä*ndler* 9. *eingeb*r*ochen* 10. *I*t*alien*. Gelegenheit macht Diebe.

8

1. *a*ufgere*g*t 2. *l*ächer*l*ich 3. *l*iebe Gi*s*ela 4. entfern*t* 5. regelmä*ß*ig 6. *a*uf dem Schiff 7. *n*euneinhalb 8. *F*liegen *w*ir ab? 9. *a*ufmachen 10. *N*ummer *d*reizehn. Aller Anfang ist schwer.

12

Across: 1. Student 5. un– 6. in 8. Ulm 10. Dora 12. da 13. jedoch 14. ihre 15. elf 17. um 18. der 20. wer 22. vor 23. and 21: ruf an! *Down:* 1. Studium 2. du 3. Ende 4. Tirol 7. nach fünf 9. lahm 11. oder 13. jeder 19. er 20. wo 21. au!

14

Across: 1. sank 4. Tisch. 7. Auge 8. hoch 9. über 10. untreu 12. Arme 13. Zukunft 17. umarmen 19. gar 20. Seen 22. zu singen. *Down:* 1. schmutzig 2. Nacht 3. Kuh 4. Tee 5. sauber 6. hierher 11. Raum 12. atmen 14. kurz 15. naß 16. frei 18. eng 21. an

15

Across: 1. halb sieben 6. oder 10. Betrieb 11. Schrei 13. nie wieder 15. Naht 17. breit 18. Trinkgeld 20. Straße 23. Nelke 24. Essen 26. Druckerei 29. leisten 30. Abend 31. Nähe. *Down:* 1. haben 2. Lotte 3. sei bitte so nett! 4. er badet 5. and 32 across: es stört sie 7. durch 8. rein 9. and 25: Schnakenstich 12. drei 14. ihr 16. Idee 17. bestellen 19. Eilbriefe 21. er denkt 22. Neugier 27. Klaus 28. Inder

16

Across: 2. Gabel 6. Aue 7. es 8. nun 9. süß 10. Teller 13. Öl 15. Bär 17. Kaffee 18. ihr 19. and 12: er ruhte 20. Kellner 23. Reh 24. an. *Down:* 1. sauer 2. Geschirr 3. Besteck 4. esse 5. enorm 8. null 11. Löffel 14. geben 15. Bier 16. Ähre 21. Ei 22. na!

18

Across: 1. Die Zauberflöte 10. Wäscherei 11. unten 12. gerne 13. anhören 14. Leitmotiv 16. Feind 18. and 21 down: erstaunt 19. ob 20. Eisen 22. nie 23. endlich 25. Autobus 27. Dürer 28. ein 29. Rudi 31. Schwert 32. Mokka. *Down:* 2. ins Freie 3. Zähne 4. unrecht 5. Erika 6. Flughafen 7. Öster– 8. einunddreißig 9. ewige Liebe 15. möblierte 17. Innsbruck 20. er hielt 24. durch 26. tu! 27. das 30. so

19

Across: 1. Kassenschrank 9. Tor 10. ihr 11. schreiben 12. Ast 14. oft 15. Süd– 17. Witz 18. Kreis 19. Salat 21. Essen 22. Ei 24. Amt 25. ins 27. ob 29. Glas 30. and 36: ich bin 31. Panne 33. Ehe 34. frag! 35. Mohr 38. des 39. deutsche Kunst. *Down:* 1. Kanu 2. Strafe 3. so 4. erst 5. Schlüsselloch 6. hier 7. Arbeit 8. Kennzeichen 13. Stimmung 14. Ort 16. das 17. wann 20. leiser 23. Kopf 26. sieben 28. Bar 32. nanu! 37. iß! 38. du

20

Across: 1. Luftschlange 8. Rat 9. spülen 10. EK (short for 'Eisernes Kreuz') 12. saß 13. prost! 14. Esel 17. treu 18. stiegen 21. Farb– 22. hoch 24. Baum 25. es 26. Kater 27. Igel 28. Hüte 30. Sterne 33. wie 34. sah 37. Udo 38. and 44: es stimmt 40. saure Heringe 45. See 46. in. *Down:* 1. lese 2. frühstücke 3. Tal 4. stehlen 5. leer 6. gestiefelt 7. Maskenbälle 11. Kostüm 13. Po 15. er– 16. Schwips 19. Gas 20. war 23. Hals 24. beredet 28. Heere 29. ewig 31. Turm 32. roh 35. Ast 36. Hai 39. sie 41. um 42. es 43. Ei

Glossary

A

ab *off, from*
der Abend(-e) *evening*
das Abendessen(-) *dinner, supper*
das Abendkleid(-er) *evening dress*
  abends *in the evening(s)*
  aber *but*
*ab|fahren(ä, u, a) *to depart, leave*
die Abfahrt(-en) *departure*
*ab|fliegen(-, o, o) *to take off (of plane)*
  ab|geben(i, a, e) *to hand in, hand over*
  abgefahren *worn-out (of tyre)*
*ab|gehen(-, i, a) *to go off, leave*
  ab|holen *to fetch, meet, collect*
  ab|liefern *to deliver*
  ab|lösen *to take over from*
  ab|schließen(-, o, o) *to lock*
  ab|schmieren *to grease*
  ab|stellen *to turn off (radio etc.)*
das Abteil(-e) *compartment*
die Abteilung(-en) *department*
die Abwechslung(-en) *change, variety*
die Abwesenheit *absence*
  ach! *oh!*
die Achse(-n) *axle*
  acht *eight*
  achtunddreißig *thirty-eight*
  achtundzwanzig *twenty-eight*
  achtzehn *eighteen*
  achtzig *eighty*
die Adresse(-n) *address*
die Ähre(-n) *ear of corn*
der Akt(-e) *act*
die Aktentasche(-n) *briefcase*
  alle *all, everybody*
  allein *alone*
  alles *everything, all*
  allgemein *general*
  als *than, as, when*
  also *well then, so*
  alt *old*
das Alter *age, old age*
die Altstadt *old part of the town*
  amerikanisch *American*
das Amt(-̈er) *office, post*
  amüsant *amusing*
  an *to, on, at, in*
  an|bieten(-, o, o) *to offer*
  andere *other, different*
  ändern *to alter, change*
  anders *otherwise, different(ly)*
der Anfang(-̈e) *beginning, start*
  an|fangen(ä, i, a) *to begin, start*
der Angeklagte(-n) *accused, defendant*
  angenehm *pleasant, agreeable (also polite reply when introduced)*
die Angst(-̈e) *fear, anxiety*
  an|haben *to wear, have on*
sich an|hören *to listen to*
*an|kommen(-, a, o) *to arrive*
*an|kommen(-, a, o) auf (+ acc.) *to depend on*
die Ankunft(-̈e) *arrival*
  Anna *Anne*

an|nehmen(i, a, o) *to accept, suppose*
an|rufen(-, ie, u) *to ring up*
der Ansager(-) *announcer*
sich an|schauen *to have a look at*
  anscheinend *apparently*
sich an|schließen(-, o, o) (+ dat.) *to join*
  an|schnallen *to fasten (seat belt), strap in*
  an|sehen(ie, a, e) *to look at*
sich an|sehen(ie, a, e) *to have a look at, go to see*
die Ansicht(-en) *opinion, view*
die Ansichtskarte(-n) *picture postcard*
  an|stoßen(ö, ie, o) auf (+ acc.) *to drink to someone or something*
  anstrengend *strenuous*
die Antwort(-en) *answer, reply*
  antworten (auf + acc.) *to reply (to), answer*
die Anzeige(-n) *advertisement, announcement*
  an|ziehen(-, o, o) *to put on (clothes)*
sich an|ziehen(-, o, o) *to dress*
die Apotheke(-n) *chemist's, pharmacy*
der Apparat(-e) *apparatus, telephone*
der Appetit *appetite*
die Arbeit(-en) *work*
  arbeiten *to work*
  arbeitslos *unemployed, out of work*
die Arie(-n) *aria*
  arm *poor*
der Arm(-e) *arm*
der Arzt(-̈e) *doctor, physician*
das Aspirin *aspirin*
der Ast(-̈e) *branch (of tree)*
der Atem (no pl.) *breath*
  atmen *to breathe*
  au! *ow!*
  auch *also, too*
die Aue(-n) *meadow (poetic)*
  auf *on, onto; open*
die Aufführung(-en) *performance, production*
  auf|geben(i, a, e) *to give up, send (telegram)*
  aufgeregt *excited, agitated*
  auf|machen *to open*
  aufmerksam *attentive*
die Aufnahme(-n) *photograph, snapshot*
  auf|passen *to be careful, pay attention*
  auf|räumen *to tidy up*
die Aufregung(-en) *excitement*
der Aufschnitt *sliced meat*
*auf|stehen(-, a, a) *to get up*
das Auge(-n) *eye*
der Augenball(-̈e) *eye-ball*
der Augenblick(-e) *moment, instant*
der August *August*
  aus *out of, from*
der Ausflug(-̈e) *excursion, outing*
der Ausgang(-̈e) *exit*
  aus|geben(i, a, e) *to spend (money)*
*aus|gehen(-, i, a) *to go out, end (story or event)*
  ausgeschlossen *out of the question*
  ausgezeichnet *excellent(ly), fine*

sich aus|kennen(–, a, a) *to know one's way (around)*
die Auskunft(ᵉe) *information*
das Ausland (*no pl.*) *foreign country, abroad*
 ausländisch *foreign*
 aus|machen (+ *dat.*) *to matter (to)*
 aus|machen (mit) *to arrange (with)*
 ausnahmsweise *exceptionally, for once*
 aus|rufen(–, ie, u) *to call out, announce (flight etc.)*
sich aus|ruhen *to rest*
die Aussage(–n) *statement, evidence*
 aus|sehen(ie, a, e) *to look (well, tired etc.)*
der Außenminister(–) *Foreign Minister*
die Außenpolitik *foreign policy, foreign affairs*
 außer *except (for), out of*
 außerdem *moreover*
die Aussicht(–en) *prospect, view*
der Aussichtsturm(ᵉe) *look-out tower*
 aus|spannen *to relax*
 aus|sprechen(i, a, o) *to pronounce*
 *aus|steigen (–, ie, ie) *to get out (of vehicle)*
der Ausverkauf(ᵉe) *clearance sale*
 ausverkauft *sold out*
die Auswahl *selection, choice*
 aus|wechseln *to exchange*
das Auto(–s) *car*
die Autobahn(–en) *motorway*
der Autobus(–se) *bus*
 automatisch *automatic(ally)*
der Automechaniker(–) *car mechanic*
das Automobil(–e) *motorcar*
die Autotour(–en) *car tour*

B

das Backhendl(–) (*Austr.*) *fried chicken*
das Bad *bath, bathroom*
 baden *to bathe*
das Badezimmer(–) *bathroom*
der Bahnhof(ᵉe) *station*
der Bahnsteig(–e) *platform (railway)*
die Bahnsteigkarte(–n) *platform ticket*
 bald *soon*
 baldig *early, speedy*
der Ball(ᵉe) *ball, dance*
die Bar(–s) *bar, night-club*
der Bär(–en *w.*) *bear*
der Bariton(–e) *baritone*
 bauen *to build*
der Baum(ᵉe) *tree*
der Bayer(–n *w.*) *Bavarian*
 bay(e)risch *Bavarian*
 Bayern *Bavaria*
der Beamte(–n) *official, civil servant*
 beantworten *to answer, reply to*
 bedacht auf (+ *acc.*) *intent on*
sich bedanken (bei) *to thank (someone)*
 bedauern *to regret*
 bedienen *to serve, attend to*
die Bedienung *service*
sich beeilen *to hurry*
 beenden *to end, conclude*
 befreundet mit *a friend of*
sich begeben (i, a, e) *to go to*
 begeistert *enthusiastic, enchanted*
 beginnen(–, a, o) *to begin*

 begrüßen *to greet, welcome*
 behilflich *helpful*
 bei *at, by, near*
 beide *both*
der Beifall (*no pl.*) *applause*
das Bein(–e) *leg*
 beinahe *almost, nearly*
das Beispiel(–e) *example*
 bekannt *known, well-known*
der Bekannte(–n) *acquaintance, friend*
 bekannt|machen (mit) *to acquaint, introduce (to)*
 bekommen(–, a, o) *to get, receive, obtain*
 beladen(ä, u, a) *to load*
 beleidigt *offended*
sich benehmen(i, a, o) *to behave*
 benutzen *to use*
das Benzin *petrol*
 bequem *comfortable, convenient*
 bereden *to talk over*
 bereit *ready, prepared*
der Berg(–e) *mountain, hill*
die Bergbahn(–en) *mountain railway*
 berichten *to report, inform*
der Beruf(–e) *profession, occupation*
sich beruhigen *to calm down*
 berühmt *famous*
 beschädigen *to damage*
sich beschäftigen mit *to occupy oneself with, be busy with*
die Beschwerde(–n) *complaint*
sich beschweren *to complain*
 beschwipst *tipsy*
 besetzt *engaged, occupied*
 besondere *special*
 besonders *especially*
 besorgen *to get, fetch*
die Besprechung(–en) *discussion, consultation*
 besser *better*
die Besserung *improvement*
 bestätigen *to confirm*
 beste *best*
das Besteck *cutlery*
 bestellen *to order, book*
 bestimmt *definitely, certainly*
der Besuch(–e) *visit, visitors*
 besuchen *to visit*
der Betrieb *activity, bustle*
das Bett(–en) *bed*
das Bettuch(ᵉer) *sheet*
 beugen *to bend, decline (noun)*
 bevor *before*
der Beweis(–e) *proof, evidence*
 beweisen(–, ie, ie) (+ *dat.*) *to prove (against)*
 bezahlen *to pay*
 beziehen(–, o, o) *to cover (with material)*
das Bier *beer*
der Bierkrug(ᵉe) *beer mug*
die Bierstube(–n) *popular drinking place*
das Bild(–er) *picture*
 billig *cheap(ly)*
 bis *until, up to*
 bis zu *until, as far as*
 ein bißchen *a little, a bit*
 bitte *please*

bitten(–, a, e) *to request, ask for*
blau *blue*
*bleiben(–, ie, ie) *to stay, remain*
blitzen *to flash (lightning)*
blond *blond*
die Bluse(–n) *blouse*
die Bohne(–n) *bean*
das Boot(–e) *boat*
die Bratwurst(⸚e) *type of fried sausage*
brauchen *to need, take (of time)*
braun *brown*
brav *good, nicely*
bravo! *hurray, well done*
brechen(i, a, o) *to break*
breit *wide, broad*
die Bremse(–n) *brake*
bremsen *to brake*
brennen(–, a, a) *to burn*
der Brief(–e) *letter*
der Briefkasten(– or ⸚) *letter-box*
die Briefmarke(–n) *stamp*
der Briefträger(–) *postman*
bringen(–, a, a) *to bring*
das Brot *bread*
der Bruder(⸚) *brother*
das Buch(⸚er) *book*
buchen *to book (seat on plane, ship)*
bügeln *to iron*
die Bühne(–n) *stage*
der Bummel *stroll*
die Burg(–en) *fortified castle*
der Bürgermeister(–) *mayor*
das Büro(–s) *office*
der Bus(–se) *bus*

C

chronisch *chronic*
der Club(–s) *club*

D

da *there, then*
dabei *with it*
dafür *for it*
dagegen *against it*
daher *therefore*
dahin *there, to that place*
damals *at that time, then*
die Dame(–n) *lady*
damit *with it, by it*
die Dampferfahrt(–en) *boat trip*
der Dank *thanks*
danke *thank you*
danken (+ dat.) *to thank*
dann *then, afterwards*
daran *at it, of it, to it, about it*
darauf *on it, for it*
darin *in it*
der Darm(⸚e) *skin (of sausage), gut*
darüber *about it, above it*
darum *about it, therefore*
das *the, this, that*
daß *that*
der Daumen(–) *thumb*
davon *of it, about it, from it*
dazu *to it, in addition*
die Debatte(–n) *debate*
decken *to lay (table), cover*
denken(–, a, a) *to think*

denken(–, a, a) an (+ acc.) *to think of*
denn *for, as, then*
deshalb *therefore*
der Dialekt(–e) *dialect*
dick *fat, thick*
der Dieb(–e) *thief*
der Diebstahl(⸚e) *theft*
dienen *to serve*
der Dienstag(–e) *Tuesday*
dieser *this, that*
diesmal *this time*
diktieren *to dictate*
das Ding(–e) *thing*
direkt *direct*
der Direktor(–en) *director, manager*
doch *yes, but, however*
der Doktor (-en) *doctor, Dr*
die Donau *Danube*
das Donautal *Danube valley*
Donnerwetter! *good heavens!*
das Doppelzimmer(–) *double room*
das Dorf(⸚er) *village*
der Dorfschullehrer(–) *village schoolmaster*
dort *there, over there*
dorthin *there, that way*
sich drehen *to turn*
drei *three*
die Dreigroschenoper *Threepenny Opera*
dreißig *thirty*
dreizehn *thirteen*
dreizehnte *thirteenth*
dritte *third*
drüben *over there*
die Druckerei(–en) *printing works*
die Drucksache(–n) *printed matter*
dumm *stupid*
dunkel *dark*
dunkelgrau *dark grey*
die Dunkelheit *darkness*
dünn *thin*
durch *through, by*
dürfen(a, u, u) *to be allowed to, may*
der Durst (no pl.) *thirst*
das Dutzend(–e) *dozen*
dutzendweise *by the dozen*
duzen *to address a person as du*
der D-Zug(⸚e) *through-train*

E

eben *just, just now*
die Ecke(–n) *corner*
der Eckplatz(⸚e) *corner seat*
die Ehe(–n) *marriage*
ehrlich *honest(ly)*
das Ei(–er) *egg*
die Eiche(–n) *oak tree*
eifersüchtig *jealous*
eigentlich *actually*
der Eilbrief(–e) *express letter*
eilig *hurried, in a hurry*
der Eilzug(⸚e) *fast train*
die Einbahnstraße(–n) *one-way street*
ein|brechen(i, a, o) *to break in, burgle*
der Einbrecher(–) *burglar*
der Einbruch(⸚e) *burglary, housebreaking*
der Eindruck(⸚e) *impression*
einfach *simple, single*

*ein|fallen(ä, ie, a) (+ *dat.*) *to occur to one*
der Eingang(ーe) *entrance*
  ein|kaufen *to buy, go shopping*
das Einkommen *income*
  ein|laden(ä, u, a) *to invite*
die Einladung(-en) *invitation*
  einmal *once, one day*
  ein|packen *to pack, wrap up*
  eins *one*
  ein|schenken *to pour out (wine etc.)*
*ein|schlafen(ä, ie, a) *to fall asleep*
  ein|sperren *to lock up, imprison*
*ein|steigen(-, ie, ie) *to climb into, board*
  (train, etc.)
  ein|stellen *to focus, tune in, set*
  ein|tauschen *to exchange, barter*
  einunddreißig *thirty-one*
  einverstanden *agreed*
  ein|werfen(i, a, o) *to throw in, insert*
  (coins), post (letter)
  ein|wiegen *to cradle*
das Einzelzimmer(-) *single room*
das Eis (*no pl.*) *ice, ice-cream*
das Eisen *iron*
  eitel *vain*
  EK = Eisernes Kreuz *Iron Cross*
  elegant *elegant, smart*
  elf *eleven*
der Empfangschef(-s) *receptionist*
  empfehlen(ie, a, o) *to recommend*
das Ende(-n) *end*
  endlich *at last, finally*
  eng *narrow*
der Engel(-) *angel*
der Engländer(-) *Englishman*
  enorm *enormous(ly)*
  entdecken *to discover*
  entfernt *distant, away from*
  entführen *to abduct*
*entkommen(-, a, o) *to escape*
  entschuldigen *to excuse*
*entweichen(-, i, i) *escape, disappear*
die Erbse(-n) *pea*
die Erbsensuppe(-n) *pea soup*
  erhalten(ä, ie, a) *to receive*
  erhöhen *to raise, increase*
sich erholen *to rest, recuperate*
sich erinnern (an + *acc.*) *to remember*
die Erkältung(-en) *cold, chill*
  erkennen(-, a, a) *to recognize*
  erklären *to explain*
  erkranken *to become ill*
sich erkundigen (nach) *to enquire (about)*
sich erlauben *to allow, permit oneself*
das Erlebnis(-se) *experience, adventure*
  erledigen *to settle, finish*
  ernst *serious(ly)*
  erreichen *to reach, catch (train, plane)*
*erscheinen(-, ie, ie) *to appear, come out*
  erst *only, first*
  erstaunt *amazed*
  erste *first*
  erstens *in the first place*
  erwarten *to expect*
  erzählen *to tell, narrate*
der Esel(-) *donkey*
  essen(i, a, e) *to eat*
das Essen(-) *food, meal*

132

  etwas *some, something, somewhat*
  europäisch *European*
  ewig *eternal*
der Export(-e) *export*
die Exportabteilung(-en) *export department*
der Expreß *express train*

F

die Fabrik(-en) *factory*
die Fahrbahn(-en) *traffic lane*
*fahren(ä, u, a) *to travel, drive, go*
der Fahrer(-) *driver*
die Fahrkarte(-n) *ticket (train, bus, tram)*
der Fahrkartenschalter(-) *ticket office*
der Fahrlehrer(-) *driving instructor*
der Fahrplan(ーe) *time-table (train, bus, tram)*
die Fahrschule(-n) *driving school*
die Fahrstunde(-n) *driving lesson*
die Fahrt(-en) *trip, journey*
das Fahrzeug(-e) *vehicle*
der Fall(ーe) *case*
  falsch *wrong(ly), false*
die Familie(-n) *family*
  fangen(ä, i, a) *to catch*
die Farbe(-n) *colour*
der Farbfilm(-e) *colour film*
der Fasching *carnival*
das Faschingskostüm(-e) *carnival costume*
der Faschingsprinz(-en *w.*) *carnival prince*
das Faß(ーsser) *barrel*
der Fastnachtsdienstag *Shrove Tuesday*
  faul *lazy*
  fehlen(+ *dat.*) *to be missing, lacking*
der Fehler(-) *mistake, error*
  feiern *to celebrate*
der Feind(-e) *enemy*
der Fels(-en *w.*) ⎫ *rock*
der Felsen(-) ⎭
das Fenster(-) *window*
der Fensterplatz(ーe) *window-seat*
die Ferien (*pl.*) *holiday(s)*
  fertig *ready, finished*
  fest *firm(ly), certain*
die Festspiele (*pl.*) *festival (cultural)*
  fest|stehen(-, a, a) *to stand firm, be*
  certain
das Feuer(-) *fire, light (for smoking)*
das Feuerzeug (-e) *(cigarette) lighter*
das Fieber *temperature, fever*
die Figur(-en) *figure*
der Film(-e) *film*
  finden(-, a, u) *to find, consider*
die Firma(-men) *firm*
der Fisch(-e) *fish*
die Flasche(-n) *bottle*
*fliegen(-, o, o) *to fly*
  flirten (*pronounced* 'flörten') *to flirt*
die Flöte(-n) *flute, pipe*
das Flötenspielen *playing of flutes or pipes*
der Flug(ーe) *flight*
der Fluggast(ーe) *air passenger*
der Flughafen(ー) *airport*
der Flugplan(ーe) *time-table (air)*
der Flugschein(-e) *air ticket*
das Flugzeug(-e) *aeroplane*
*folgen(+ *dat.*) *to follow*
  fort *away, gone*

fort|fahren(ä, u, a) *to go on*
fort|setzen *to continue*
der Fotoapparat(-e) *camera*
das Fotogeschäft(-e) *camera shop*
das Foyer(-s) (*pronounced* 'Foyé') *foyer*
die Frage(-n) *question*
fragen *to ask*
der Frankenwein *Franconian wine*
Frankreich *France*
französisch *French*
die Frau(-en) *woman, Mrs, wife*
das Fräulein(-) *young lady, Miss*
frei *free(ly)*
das Freie (*no pl.*) *open air*
frei|halten(ä, ie, a) *to keep free, reserve*
frei|sprechen(i, a, o) *to acquit*
fremd *strange, alien*
die Freude(-n) *joy, pleasure*
sich freuen *to be glad, pleased*
sich freuen auf (+ *acc.*) *to look forward to*
der Freund(-e) *friend*
die Freundin(-nen) *girl friend*
freundlich *friendly, kind(ly)*
die Freundschaft *friendship*
frisch *fresh(ly)*
der Friseur(-e) (*pronounced* 'Frisör')
    hairdresser, barber
froh *glad, happy, happily*
früh *early*
früher *earlier, formerly*
das Frühstück *breakfast*
frühstücken *to have breakfast*
sich) fühlen *to feel*
führen *to lead*
der Führer(-) *guide, leader*
der Führerschein(-e) *driving licence*
die Führung(-en) *guided tour*
füllen *to fill*
fünf *five*
fünfhundert *five hundred*
fünfundneunzig *ninety-five*
fünfzehn *fifteen*
fünfzig *fifty*
für *for*
fürchten *to fear*
der Fuß(¨e) *foot*

G

die Gabel(-n) *fork*
der Gang(¨e) *gear*
ganz *quite, whole*
die Garage(-n) *garage*
die Garderobe(-n) *cloakroom*
gar nicht *not at all*
gar nichts *nothing at all*
der Garten(¨) *garden*
das Gas(-e) *gas*
die Gasrechnung(-en) *gas bill*
geben(i, a, e) *to give*
das Gebirge(-) *mountains, mountain range*
gebraten *roasted*
der Geburtstag(-e) *birthday*
der Gedanke(-n) *thought*
geehrt *honoured*
gefallen(ä, ie, a) (+ *dat.*) *to please, like*
gefärbt *dyed*
das Gefühl(-e) *feeling*
gegen *against*

die Gegend(-en) *region, district*
das Geheimnis(-se) *secret*
*gehen(-, i, a) *to go*
der Gehilfe(-n *w.*) *accomplice, helper*
gehören (+ *dat.*) *to belong to*
das Geld *money*
die Geldstrafe(-n) *fine*
die Gelegenheit(-en) *opportunity*
gemütlich *cosy*
genau *exact(ly)*
genießen(-, o, o) *to enjoy*
genug *enough*
das Gepäck (*no pl.*) *luggage*
gepflegt *well-kept, cared for*
gerade *just, straight*
geradeaus *straight on*
*gerade|gehen(-, i, a) *to walk straight*
das Gericht(-e) *court (of law); dish*
der Gerichtssaal(-säle) *court-room*
die Gerichtsverhandlung(-en) *trial*
gern(e) *gladly, willingly*
das Geschäft(-e) *business, shop*
geschäftlich *on, relating to business*
der Geschäftsfreund(-e) *business friend*
die Geschäftsleute (*pl.*) *businessmen*
die Geschäftsreise(-n) *business trip*
die Geschichte(-n) *history, story*
das Geschirr *crockery*
die Gesellschaft(-en) *company*
das Gesicht(-er) *face*
das Gespräch(-e) *talk, conversation*
gestatten *to permit, allow*
gestern *yesterday*
gestiefelt *booted*
die Gesundheit *health*
das Gewitter(-) *thunderstorm*
sich gewöhnen an(+ *acc.*) *to get used to*
gewöhnt *accustomed*
das Glas(¨er) *glass*
die Glatze(-n) *bald head*
glauben *to believe*
gleich *straight away, same, equal*
das Gleis(-e) *rails, track, platform*
das Glück (*no pl.*) *luck, happiness*
gnädig *gracious*
das Gold (*no pl.*) *gold*
der Gott(¨er) *God*
das Grab(¨er) *grave, tomb*
grau *grey*
die Grippe (*no pl.*) *influenza*
der Groschen(-) *Austrian coin (100*
    Groschen = 1 Schilling)
groß *large, big*
großartig *splendid, wonderful*
Großbritannien *Great Britain*
die Größe(-n) *size*
grün *green*
der Grund(¨e) *reason*
der Gruß(¨e) *greeting*
grüßen *to greet*
der Gugelhupf (*Austr.*) *type of cake*
der Gulden(-) *florin*
gut *good, well, fine*

H

das Haar(-e) *hair*
haben *to have*
der Hafen(¨) *harbour*

die Hafenkneipe(-n) *harbour pub*
die Hafenstadt(-e) *port*
der Hai(fisch)(-e) *shark*
  halb *half*
die Hälfte(-n) *half*
die Halle(-n) *hall*
der Hals(-e) *neck*
  halten(ä, ie, a) *to hold, keep, stop*
der Hamburger(-) *man from Hamburg*
die Hand(-e) *hand*
sich handeln um *to concern, be a matter of*
das Handgepäck (*no pl.*) *hand luggage*
der Händler(-) *dealer*
die Handtasche(-n) *handbag*
  hängen(-, i, a) *to hang*
  hatschi! *atishoo!*
  hauchdünn *sheer, very fine*
der Hauptbahnhof(-e) *main station*
die Hauptsache(-n) *main thing*
die Hauptstadt(-e) *capital*
die Hauptstraße(-n) *main, high street*
der Haupttäter(-) *chief culprit*
das Haus(-er) *house*
die Hausfrau(-en) *housewife*
das Heer(-e) *army*
  heiraten *to marry*
  heisa hopsa-sa *hey diddle dee*
  heiß *hot*
  heißen *to be called*
  helfen(i, a, o) (+ *dat.*) *to help*
  hell *light (colour)*
  hellblau *light blue*
  hellbraun *light brown*
  hellgrau *light grey*
das Hemd(-en) *shirt*
  her *here, hither*
  herab|setzen *to reduce (price)*
  heraus|finden(-, a, u) *to find out*
  heraus|geben(i, a, e) (auf + *acc.*) *to
    give change (for)*
  *heraus|kommen(-, a, o) *to come out,
    become known*
sich heraus|reden *to talk oneself out (of
    something)*
sich heraus|stellen *to turn out, prove*
  herb *dry (of wine)*
  herein *in, into; come in*
  *herein|fallen(ä, ie, a) (auf + *acc.*) *to
    be taken in by*
  *herein|kommen(-, a, o) *to come in*
  her|geben(i, a, e) *to give up, hand over*
der Hering(-e) *herring*
der Heringssalat(-e) *herring salad*
der Herr(-en w.) *gentleman, Mr*
die Herrenabteilung(-en) *men's department*
die Herrenkleidung *men's wear*
  herrlich *splendid*
die Herrschaften (*pl.*) *ladies and gentlemen*
  *herum|laufen(äu, ie, au) *to run around*
  herunter *down, downwards*
  herzlich *hearty, heartily, sincere*
der Heurige (*Austr.*) *new wine*
  heute *today*
  heute abend *tonight, this evening*
  heute morgen *this morning*
  heute nachmittag *this afternoon*
  heutig *today's*
  hier *here*

*hier|bleiben(-, ie, ie) *to stay here*
  hierher *here, hither*
  hier|lassen(ä, ie, a) *to leave here*
der Himmel *sky, heaven*
  hin *there, thither*
  hinauf *up, upwards*
  *hinauf|gehen(-, i, a) *to go up*
  *hinauf|klettern *to climb up*
  *hinaus|gehen(-, i, a) *to go out*
  hinein *in, into*
  *hinein|gehen(-, i, a) *to go into, enter*
  hinein|lassen(ä, ie, a) *to let in*
  *hin|fahren(ä, u, a,) *to drive to, travel to*
  *hin|gehen(-, i, a) *to go to, go there*
  *hin|kommen(-, a, o) *to arrive at, get
    there*
  hinten *behind, at the back*
  hinter *behind*
der Hinterreifen(-) *back tyre*
  hoch *high*
  hochachtungsvoll *Yours faithfully*
  hochdeutsch *standard German*
der Hochzeitsmarsch(-e) *wedding-march*
die Hochzeitsreise(-n) *honeymoon*
das Hofbräuhaus *Munich beer hall*
  hoffen *to hope*
  hoffentlich *it is to be hoped*
der Hofnarr(-en w.) *court jester*
  holen *to fetch*
  hören *to hear*
der Hörer(-)
die Hörerin(-nen) }*listener*
das Hotel(-s) *hotel*
  hübsch *pretty*
das Huhn(-er) *chicken*
der Hund(-e) *dog*
  hundert *hundred*
  hunderttausend *hundred thousand*
der Hunger (*no pl.*) *hunger*
  hupen *to hoot*
der Hut(-e) *hat*

I

  ideal *ideal*
die Idee(-n) *idea*
der Igel(-) *hedgehog*
  immer *always*
  in *in, into*
die Illustrierte(-n) *illustrated magazine*
der Inder(-) *Indian*
die Inschrift(-en) *inscription*
  interessant *interesting*
sich interessieren für *to be interested in*
  inzwischen *meanwhile*
  irgendein *someone, something or other*
  irgend etwas *something or other*
  irgend jemand *somebody or other*
  irgendwie *somehow*
  irgendwo *somewhere or other*
  Italien *Italy*

J

das Jahr(-e) *year*
das Jahrhundert(-e) *century*
die Jause (*Austr.*) *afternoon coffee*
  jawohl *yes (indeed), certainly*
  jeder *each, every*
  jedoch *however*

jemand *someone, anyone*
jetzt *now*
jung *young*
der Junge(–n w.) *boy, young man*
die Jugend (*no pl.*) *youth, young people*
der Juni *June*

K

das Kabarett(–e) *cabaret*
der Kaffee *coffee*
das Kaffeehaus(ᵉer) *coffee-house*
kalt *cold*
kaputt *ruined, in pieces*
der Karneval *carnival*
die Karte(–n) *ticket*
die Kartoffel(–n) *potato*
das Karussell(–e or –s) *roundabout*
   (*in fairground*)
das Kasperltheater(–) *Punch-and-Judy show*
die Kasse(–n) *cash-desk, box-office*
der Kassenschrank(ᵉe) *safe*
der Kassenschrankschlüssel(–) *safe key*
das Kassenschrankschlüsselloch(ᵉer)
   keyhole of safe
der Kater(–) *tomcat, hangover*
das Katerfrühstück *breakfast for a hangover*
die Katze(–n) *cat*
kaufen *to buy*
kein *no, not a*
keinmal *not a single time*
der Kellner(–) *waiter*
die Kellnerin(–nen) *waitress*
kennen(–, a, a) *to know*
kennen|lernen *to get to know, meet*
das Kennzeichen(–) *distinguishing mark*
der Kerl(–e) *fellow, chap*
das }
der } Kilometer *kilometre*
das Kind(–er) *child*
das Kino(–s) *cinema*
die Kirche(–n) *church*
kitschig *trashy*
kitzeln *to tickle*
die Klapperkiste(–n) *old crock (of car)*
klappern *to rattle*
klauen *to pinch*
das Kleid(–er) *dress*
klein *small, little*
das Kleingeld (*no pl.*) *small change*
die Kleinigkeit(–en) *small matter, trifle*
*klettern *to climb*
klingeln *to ring*
klingen(–, a, u) *to sound*
der Kloß(ᵉe) *dumpling*
die Kneipe(–n) *pub, tavern*
das Knie(–) *knee*
der Koch(ᵉe) *cook*
der Koffer(–) *suitcase*
der Kofferraum(ᵉe) *boot (of car)*
der Kollege(–n w.) *colleague*
komisch *funny, odd*
*kommen(–, a, o) *to come*
zu sich *kommen(–, a, o) *to come to oneself*
das Kompott(–e) *stewed fruit*
das Kompliment(–e) *compliment*
komponieren *to compose*
der Komponist(–en w.) *composer*
das Konfetti *confetti*

der König(–e) *king*
die Königin(–nen) **queen**
das Königsschloß (ᵉsser) *royal castle*
können(a, o, o) *to be able to, can*
kontrollieren *to check*
der Kopf(ᵉe) *head*
die Kopfschmerzen (*pl.*) *headache*
kostbar *precious, valuable*
kosten *to cost*
die Kosten (*pl.*) *cost(s)*
das Kostüm(–e) *costume, fancy-dress, lady's*
   suit
krank *ill*
der Kreis(–e) *circle*
die Kreuzung(–en) *cross-roads, crossing*
das Kreuzworträtsel(–) *crossword puzzle*
der Krug(ᵉe) *mug, jug*
krumm *crooked, curved*
die Küche(–n) *kitchen*
der Kuchen(–) *cake, tart*
die Kuh(ᵉe) *cow*
kühl *cool, chilly*
sich kümmern um *to bother about, look after*
der Kunde(–n w.) *customer*
kündigen(+ *dat.*) *to give notice (to)*
die Kunst(ᵉe) *art*
die Kurve(–n) *bend*
kurz *short*
küssen *to kiss*

L

lachen (über + *acc.*) *to laugh (at)*
lächerlich *ridiculous*
lahm *lame*
die Lampe(–n) *lamp*
das Land(ᵉer) *land, country*
die Landstraße(–n) *highway*
lang(e) *long, for a long time*
langsam *slow(ly)*
langweilen *to bore*
sich langweilen *to be bored*
langweilig *boring*
der Lärm (*no pl.*) *noise*
lassen(ä, ie, a) *to leave, let*
der Lastwagen(–) *lorry*
*laufen(äu, ie, au) *to run, go on foot*
die Laune(–n) *mood*
laut *loud*
der Lautsprecher(–) *loudspeaker*
leben *to live*
das Leben(–) *life*
leer *empty*
leer|trinken(–, a, u) *to drink dry*
legen *to lay, put*
der Lehrer(–) *teacher*
der Lehrling(–e) *apprentice*
leicht *light, easy, easily, slight*
leichtsinnig *careless, thoughtless*
leider *unfortunately*
leid tun(–, a, a) (+ *dat.*) *to be sorry*
leihen(–, ie, ie) *to lend*
leise *soft(ly), quiet(ly)*
(sich) leisten *to afford*
der Leiter(–) *manager, head*
das Leitmotiv(–e) *leading theme (music)*
lernen *to learn*
lesen(ie, a, e) *to read*

letzte *last*
die Leute (*pl.*) *people*
lieb *dear*
die Liebe (*no pl.*) *love*
lieben *to love*
liebenswürdig *kind, amiable*
lieber *rather*
der Liebling(-e) *darling*
das Lied(-er) *song*
liegen(-, a, e) *to lie, be situated*
lila *lilac*
die Limonade(-n) *fruit squash*
die Linie(-n) *line; figure*
linke *left*
links *on (to) the left*
der Lippenstift(-e) *lipstick*
das \
der / Liter(-) *litre*
locken *to lure*
der Löffel(-) *spoon*
sich lohnen *to be worthwhile*
das Lokal(-e) *general name for a place where one can eat, drink, or dance*
Londoner *of, in London*
los *loose*
die Luftschlange(-n) *paper streamer*
der Lump(-en) *scoundrel*
die Lust *inclination, desire*
lustig *gay, jolly*

M

machen *to make, do*
die Macht(-e) *power*
das Mädchen(-) *girl*
das Mal(-e) *time, occasion*
mal *just, once*
malen *to paint*
malerisch *picturesque*
man *one, you, people*
mancher *many a, some*
der Mann(-er) *man, husband*
der Mantel(-) *coat*
die Mark (*no pl.*) *mark (German currency)*
der Markt(-e) *market*
der Marktplatz(-e) *market-place*
die Maschine(-n) *machine*
die Maschinenfabrik(-en) *machine factory*
der Maskenball(-e) *fancy-dress ball*
das Material(-ien) *material*
der Matrose(-n w.) *sailor*
mehr *more*
meinen *to think, mean*
meiste *most*
melden *to report, notify*
die Melodie(-n) *tune*
der Mensch(-en w.) *human being, pl.: people*
das Menü(-s) *menu, set meal*
merkwürdig *strange, peculiar*
messen(i, a, e) *to measure, take (of temperature)*
das Messer(-) *knife*
das \
der / Meter(-) *metre*
die Miete(-n) *rent*
die Minute(-n) *minute*
mit *with*
mit|bringen(-, a, a) *to bring along*
das Mitglied(-er) *member*

*mit|kommen(-, a, o) *to accompany, join, come along*
mit|nehmen(i, a, o) *to take along*
der Mittag(-e) *midday, noon*
mittags *at midday*
das Mittel(-) *means, remedy*
das Mittelalter *Middle Ages*
mittelalterlich *medieval*
die Mitternacht *midnight*
die Möbel (*pl.*) *furniture*
möbliert *furnished*
die Mode(-n) *fashion*
das Modehaus(-er) *fashion-house*
das Modell(-e) *model*
modern *modern*
die Modezeitung(-en) *fashion magazine*
mögen(a, o, o) *to like, may*
möglich *possible*
der Mohr(-en w.) *Moor*
der Mokka *mocha, very strong coffee*
der Monat(-e) *month*
der Montag(-e) *Monday*
die Moral *moral*
morgen *tomorrow*
der Morgen(-) *morning*
der Morgenrock(-e) *dressing-gown*
morgens *in the morning(s)*
die Morgenstunde(-n) *early morning hour*
der Motor(-en) *engine*
das Motorrad(-er) *motorcycle*
der Motorradfahrer(-) *motorcyclist*
müde *tired*
die Mühe(-n) *trouble, effort*
der Müller(-) *miller*
München *Munich*
der Mund(-er) *mouth*
das Museum(-een) *museum*
die Musik *music*
müssen(u, u, u) *to have to, must*
die Mutter(-) *mother*
die Mütze(-n) *cap*

N

na! *well, now then*
nach *after, to*
der Nachbar(-n w.) *neighbour*
nach|füllen *to fill up (glass, etc.)*
nachher *later, afterwards*
nach|machen *to imitate*
der Nachmittag(-e) *afternoon*
nachmittags *in the afternoon(s)*
die Nachrichten (*pl.*) *news*
nach|schauen *to look up, check*
nach|schicken *to forward*
nach|sehen(ie, a, e) *to look up, check*
nächste *next*
die Nacht(-e) *night*
der Nachtisch *dessert*
das Nachtleben *night-life*
nah *near*
die Nähe (*no pl.*) *vicinity*
nähen *to sew*
sich nähern(+ *dat.*) *to approach*
die Naht(-e) *seam*
naja! *well!*
der Name(-n) *name*
nämlich *that is to say, you see*

nanu! *oh dear!, well, well!*
der Narr(-en *w.*) *fool*
naß *wet*
die Natur(-en) *nature*
natürlich *natural(ly), of course*
Neapel *Naples*
der Nebel *fog, mist*
neben *next to, beside*
nebeneinander *next to one another*
neblig *foggy, misty*
nehmen(i, a, o) *to take*
die Nelke(-n) *carnation*
nennen(-, a, a) *to name, call*
nervös *nervous*
nett *nice, kind*
das Netz(-e) *net*
neu *new*
die Neugier (*no pl.*) *curiosity*
neugierig *inquisitive, curious*
neun *nine*
neuneinhalb *nine-and-a-half*
neunzehn *nineteen*
neunzig *ninety*
nicht *not*
nicht mehr *no longer*
das Nichtmitglied(-er) *non-member*
nichts *nothing*
nie *never*
niemals *never once*
niemand *nobody*
niesen *to sneeze*
nirgends *nowhere*
noch *still, yet, another*
der Norddeutsche(-n) *North German*
normal *normal(ly)*
die Not *need, distress*
nötig *necessary*
im Nu *in a jiffy*
null *zero, nil*
die Nummer(-n) *number*
nun *now, well now*
nur *only*

O

die Oase(-n) *oasis*
ob *if, whether*
oben *above, up above*
der Ober(-) *waiter*
der Oberst(-en) *colonel*
das Obst (*no pl.*) *fruit*
der Obstsalat *fruit salad*
oder *or*
oft *often*
ohne *without*
das Öl *oil*
die Oper(-n) *opera*
das Opernglas(̈er) *opera-glasses*
die Ordnung(-en) *order*
der Ort(-e) *place, locality*
Österreich *Austria*
österreichisch *Austrian*

P

das Paar(-e) *pair, couple*
ein paar *a few*
packen *to pack*
das Paket(-e) *parcel, packet*

die Panne(-n) *breakdown* (*car*)
der Pantoffel(-n) *slipper*
der Pappkopf(̈e) *papier-maché head*
der Park(-s *or* -e) *park*
parken *to park*
das Parkett *stalls*
das Parlament(-e) *Parliament*
der Paß(̈sse) *passport*
passen(+ *dat.*) *to suit*
*passieren *to happen*
die Pastete(-n) *patty*
der Patient(-en *w.*) *patient*
die Pause(-n) *interval*
das Pech *bad luck*
das Perlon *type of nylon*
die Person(-en) *person*
die Pest *plague*
pfeifen(-, i, i) *to whistle, play flute or pipe*
der Pfeifer(-) *piper*
der Pfennig(-e) *pfennig, penny (100 Pfennig = 1 Mark)*
der Pförtner(-) *door-keeper*
die Phantasie *fancy, imagination*
der Plan(̈e) *plan*
platt *flat (of tyre)*
der Platz(̈e) *seat, square*
plötzlich *suddenly*
die Polizei *police*
der Polizeiinspektor(-en) *police inspector*
der Polizeiwachtmeister(-) *police sergeant*
der Polizeiwagen(-) *police car*
der Polizist(-en *w.*) *policeman*
die Post (*no pl.*) *mail, post-office*
das Postamt(̈er) *post-office*
die Postkarte(-n) *postcard*
die Postkutsche(-n) *mail coach*
der Postkutscher(-) *coachman*
postlagernd *'poste restante'*
praktisch *practical*
privat *private*
pro *per*
das Programm(-e) *programme*
der Prospekt(-e) *brochure*
prost! *cheers!*
das Prozent(-e) *per cent, percentage*
prüfen *to examine, test*
der Puls *pulse*
pünktlich *punctual(ly)*
putzen *to clean*

Q

die Qualität(-en) *quality*
die Quittung(-en) *receipt*

R

das Rad(̈er) *wheel*
das Radio(-s) *wireless set*
der Rang(̈e) *circle (in theatre)*
(sich) rasieren *to shave*
die Rast (*no pl.*) *rest*
das Rasthaus(̈er) *road-house*
der Rat (*no pl.*) *advice*
raten(ä, ie, a) *to advise, guess*
das Rathaus(̈er) *town hall*
das Rätsel(-) *puzzle*
die Ratte(-n) *rat*
der Rattenfänger(-) *rat-catcher*

rauchen *to smoke*
der Räucherlachs *smoked salmon*
der Raum(⸚e) *room, space*
die Rechnung(-en) *bill*
das Recht(-e) *right, law*
  recht *right, correct, really*
  rechts *on (to) the right*
die Rede(-n) *speech*
  reden *to talk*
die Redensart(-en) *saying*
  regelmäßig *regular(ly)*
der Regenmantel(⸚) *raincoat*
der Regenschirm(-e) *umbrella*
  regnen *to rain*
das Reh(-e) *deer*
  reich *rich*
der Reifen(-) *tyre*
der Reifendruck *tyre pressure*
die Reihe(-n) *row*
  rein *clean, pure*
die Rein(e)machefrau(-en) *charwoman*
die Reise(-n) *trip, journey*
das Reisebüro(-s) *travel agency*
  reisefertig *ready for a journey*
die Reisegruppe(-n) *travel group*
  reisen *to travel*
der Reiseplan(⸚e) *travel plan, itinerary*
  reizend *charming*
  *rennen(-, a, a) *to run*
die Reparatur(-en) *repair*
  reparieren *to repair*
das Reserverad(⸚er) *spare wheel*
  reservieren *to reserve*
das Restaurant(-s) *restaurant*
  retten *to save*
das Rezept(-e) *prescription, recipe*
  richtig *right*
das Riesenrad(⸚er) *Big Wheel*
die Rindsroulade(-n) *braised rolled beef*
das Rippchen(-) *boiled loin of pork*
der Ritter(-) *knight*
die Ritterburg(-en) *knight's castle*
  roh *raw*
der Rohrspatz(-en w.) *reed sparrow*
  rollen *to roll*
die Rolltreppe(-n) *escalator*
die Romantik (*no pl.*) *romanticism*
  romantisch *romantic*
  rot *red*
die Rückreise(-n) *return journey*
  Rudi (*short for Rudolf*)
  rufen(-, ie, u) *to call*
die Ruhe (*no pl.*) *quiet, rest*
  ruhen *to rest*
  ruhig *quiet(ly)*
die Ruine(-n) *ruin*
  russisch *Russian*

S

die Sache(-n) *matter, affair, thing*
  sagen *to say*
die Sahne (*no pl.*) *cream*
der Salat(-e) *salad*
die Salzkartoffel(-n) *boiled potato*
der Samstag(-e) *Saturday*
der Samt *velvet*
die Samtjacke(-n) *velvet jacket*
die Samtmütze(-n) *velvet cap*

der Satz(⸚e) *sentence*
  sauber *clean*
  sauer *sour*
das Sauerkraut (*no pl.*) *sauerkraut*
der Schaden(⸚) *damage*
der Schaffner(-) *conductor (bus, tram, etc.)*
  schalten *to change gear*
der Schalter(-) *booking-office, counter*
die Schaltung(-en) *gear-change*
  scharf *sharp*
die Schau(-en) *show*
  schauen *to look, see*
das Schaufenster(-) *shop window*
der Schauspieler(-) *actor*
die Scheibe(-n) *slice*
  scheinen(-, ie, ie) *to shine, seem*
  schick *smart*
  schicken *to send*
  schieben(-, o, o) *to shove, push*
  schief *crooked, wrong*
  *schief|gehen(-, i, a) *to go wrong*
das Schiff(-e) *ship*
das Schild(-er) *sign*
der Schilling(-e) *shilling (Austrian currency)*
  schimpfen *to scold*
der Schlafanzug(⸚e) *pyjamas*
  schlafen(ä, ie, a) *to sleep*
der Schlager(-) *pop song*
das Schlag(obers) (*Austr.*) *whipped cream*
die Schlagsahne (*no pl.*) *whipped cream*
die Schlange(-n) *snake*
  schlank *slim*
  schlau *sly, crafty*
  schlecht *bad(ly)*
  schließen(-, o ,o) *to close, shut*
  schließlich *finally*
das Schloß(⸚sser) *castle*
der Schloßkeller(-) *castle cellar*
das Schloßrestaurant(-s) *castle restaurant*
die Schloßruine(-n) *castle ruins*
der Schluß(⸚sse) *finish, end*
der Schlüssel(-) *key*
das Schlüsselloch(⸚er) *keyhole*
  schmecken *to taste; (+ dat.) to like (of food)*
  schmeicheln (+ dat.) *to flatter*
  Schmiere stehen(-, a, a) *to be a look-out*
  schmutzig *dirty*
die Schnake(-n) *gnat, midge*
der Schnakenstich(-e) *gnat-bite*
  schnell *fast, quick(ly)*
der Schnupfen (*no pl.*) *cold*
der Schnurrbart(⸚e) *moustache, cat's whiskers*
  schon *already*
  schön *fine, nice(ly), beautiful(ly)*
der Schrank(⸚e) *cupboard*
  schrecklich *terrible, terribly*
der Schrei(-e) *shout, cry*
das Schreibabteil(-e) *writing compartment*
  schreiben(-, ie, ie) *to write*
der Schuh(-e) *shoe*
das Schuhgeschäft(-e) *shoe shop*
die Schuhgröße(-n) *shoe size*
die Schuld *fault, guilt*
  schuld sein an (+ dat.) *to be to blame for*
  schuldig *guilty, owing*
die Schule(-n) *school*

der Schwan(¨e) *swan*
  schwarz *black*
der Schweinebraten(–) *roast pork*
die Schweiz *Switzerland*
  schwer *heavy, difficult*
das Schwert(–er) *sword*
die Schwester(–n) *sister*
  schwierig *difficult*
der Schwindel (*no pl.*) *swindle, trick*
der Schwips *tipsiness*
  schwül *sultry, close*
  sechs *six*
  sechsunddreißig *thirty-six*
  sechzehn *sixteen*
  sechzig *sixty*
der See(–n) *lake*
die See(–n) *sea*
  sehen(ie, a, e) *to see, look*
  sehr *very*
  *sein *to be*
  seit *since*
die Seite(–n) *side, page*
die Seitenstraße(–n) *side-street*
die Sekretärin(–nen) *secretary*
der Sekt *German champagne*
  selbst *self*
  selbstverständlich *of course*
die Sendereihe(–n) *broadcast series*
die Sendung(–en) *consignment; broadcast*
der Sessel(–) *armchair*
sich setzen *to sit down*
  sicher *certain(ly)*
  sieben *seven*
  siebenunddreißig *thirty-seven*
  siebenundfünfzig *fifty-seven*
  siebzehn *seventeen*
  siezen *to address a person as* Sie
die Silbe(–n) *syllable*
das Silbenrätsel(–) *syllable puzzle*
  singen(–, a, u) *to sing*
  *sinken(–, a, u) *to sink*
der Sinn(–e) *sense, meaning*
  sitzen (–, a, e) *to sit*
  Skandinavien *Scandinavia*
der Smoking(–s) *dinner jacket*
  so *so, such, like this*
  sodann *then, after that*
  sofort *at once, immediately*
  sogar *even*
der Sohn(¨e) *son*
  sollen *to be supposed to, shall, ought*
der Sommer(–) *summer*
das Sommerkleid(–er) *summer dress*
der Sommermantel(¨) *summer coat*
  sondern *but, on the contrary*
die Sonne(–n) *sun*
der Sonntag(–e) *Sunday*
der Sonntagsfahrer(–) 'weekend driver'
  sonst *otherwise, else*
die Sorge(–n) *worry, care*
  soviel *so much, as far as*
  sozusagen *so-to-speak*
die Spanierin(–nen) *Spanish woman*
  sparen *to save (money, time, etc.)*
  sparsam *thrifty*
der Spaß(¨e) *joke, fun*
  spät *late*
  *spazieren|gehen(–, i, a) *to go for a walk*

der Spaziergang(¨e) *walk*
die Speisekarte(–n) *menu*
der Speisesaal(–säle) *dining-room (in hotel)*
die Spezialität(–en) *speciality*
  spielen *to play, perform*
das Spielzeug (*no pl.*) *toy(s)*
  spitz *pointed, sharp*
der Sportwagen(–) *sports car*
  sprechen(i, a, o) *to speak*
das Sprichwort(¨er) *proverb*
das Sprudelwasser *mineral water*
  spülen *to wash up*
die Spur(–en) *trace*
die Stadt(¨e) *town, city*
die Station(–en) *stop, station*
  statt|finden(–, a, u) *to take place*
  staubig *dusty*
  stechen(i, a, o) *to sting*
  stecken *to put, insert*
das Steckenpferd(–e) *hobby-horse, hobby*
  stehen(–, a, a) *to stand;* (+ *dat.*) *to suit*
  *stehen|bleiben(–, ie, ie) *to remain
    standing, stop*
  stehen|lassen(ä, ie, a) *to leave standing*
  stehlen(ie, a, o) *to steal*
  *steigen(–, ie, ie) *to rise, climb, go up*
  steil *steep*
der Stein(–e) *stone*
die Stelle(–n) *job, place*
  stellen *to put, stand*
der Stern(–e) *star*
  stets *always*
das Steuerrad(¨er) *steering wheel*
der Stiefel(–) *boot*
der Stil(–e) *style*
die Stimme(–n) *voice*
  stimmen *to be correct*
die Stimmung(–en) *mood, atmosphere*
der Stock *storey, floor*
der Stoff(–e) *material, fabric*
  *stolpern *to stumble*
  stolz *proud*
  stören *to disturb*
die Strafe(–n) *penalty*
die Straße(–n) *street, road*
die Straßenbahn(–en) *tram*
der Straßenbahnschaffner(–) *tram conductor*
die Straßenecke(–n) *street corner*
die Straßenlampe(–n) *street lamp*
die Straßenwacht *road patrol*
das Streichholz(¨er) *match*
  streng *strict*
der Strumpf(¨e) *stocking*
die Strumpfabteilung(–en) *stocking depart-
    ment*
die Stube(–n) *small room, chamber*
das Stück(–e) *piece, bit*
der Student(–en w.) *student*
die Studententage (*pl.*) *student days*
  studieren *to study*
das Studium(–ien) *studies*
die Stufe(–n) *step*
der Stuhl(¨e) *chair*
  stumm *dumb*
die Stunde(–n) *hour, lesson*
  Süd- *South (before name of town etc.)*
  süß *sweet*
die Szene(–n) *scene*

T

die Tablette(-n) *tablet*
der Tag(-e) *day*
   täglich *daily*
das Tal(∸er) *valley*
   tanken *to fill up (car), refuel*
die Tankstelle(-n) *petrol station*
   tanzen *to dance*
die Tasse(-n) *cup*
die Taube(-n) *dove, pigeon*
sich täuschen *to be mistaken*
   tausend *thousand*
das Taxi(-s) *taxi*
der Taxichauffeur(-e) *(pronounced –schofför)
   taxi-driver*
der Tee *tea*
das Telefon(-e) *telephone*
das Telefongespräch(-e) *telephone call,
   telephone conversation*
   telefonieren *to telephone*
   telefonisch *by telephone*
das Telegramm(-e) *telegram*
der Teller(-) *plate*
die Temperatur(-en) *temperature*
   teuer *dear, expensive*
der Teufel(-) *devil*
das Teufelskostüm(-e) *devil's costume*
das Theater(-) *theatre*
die Themse *Thames*
das Thermometer(-) *thermometer*
die Tinte(-n) *ink*
der Tisch(-e) *table*
der Titel(-) *title*
die Tochter(∸) *daughter*
   toll *crazy, wild*
das Tor(-e) *gate*
   tot *dead*
der Tourist(-en *w.*) *tourist*
   tragen(ä, u, a) *to wear, carry*
der Transport *transport*
die Transportkosten (*pl.*) *cost of transport*
   träumen *to dream*
   treffen(i, a, o) *to meet*
die Treppe(-n) *stairs*
   *treten(i, a, e) *to tread, step*
   treu *loyal, faithful*
   trinken(-, a, u) *to drink*
das Trinkgeld(-er) *tip*
   trommeln *to beat the drum*
der Tropfen(-) *drop (of water, wine, etc.)*
   trotz *despite*
   tun(-, a, a) *to do*
die Tür(-en) *door*
der Türke(-n *w.*) *Turk*
die Türkei *Turkey*
   türkisch *turkish*
der Turm(∸e) *tower*
der Typhus (*no pl.*) *typhoid fever*
der Typhusfall(∸e) *case of typhoid fever*
   typisch *typical(ly)*

U

   übel|nehmen(i, a, o) *to take amiss, be
   offended*
   über *over, above, about, via*
   überarbeitet *overworked*
   überfahren(ä, u, a) *to run over*

   überhaupt *at all, on the whole,*
   überholen *to overtake*
   übernachten *to stay overnight*
die Überraschung(-en) *surprise*
   überreden *to persuade*
   übersetzen *to translate*
   *übrig|bleiben(-, ie, ie) *to be left (over),
   remain*
   übrigens *moreover, by the way*
   übrig|lassen(ä, ie, a) *to leave, leave over*
die Übung(-en) *exercise, practice*
die Uhr(-en) *clock, watch, o'clock*
   um *at, around*
   umarmen *to embrace*
sich um|drehen *to turn round*
   *um|gehen(-,i,a) mit *to deal with, handle*
   *um|kehren *to turn back*
   um|leiten *to divert (traffic)*
sich um|sehen(ie, a, e) *to look around*
   *um|steigen(-, ie, ie) *to change (train etc.)*
der Umweg(-e) *detour*
sich um|ziehen(-, o, o) *to change (clothes)*
der Umzug(∸e) *procession*
   unangenehm *unpleasant, disagreeable*
   unbedingt *without fail*
   unbekannt *unknown*
   unbequem *uncomfortable*
   unerwartet *unexpected(ly)*
   ungeduldig *impatient*
   ungefähr *about, approximately*
das Unglück *accident, misfortune*
die Universität(-en) *university*
   unparteiisch *unbiased*
   unrasiert *unshaven*
   unrecht *wrong*
der Unsinn (*no pl.*) *nonsense*
   unten *below*
   unter *under*
   unterbrechen(i, a, o) *to interrupt*
   unter|bringen(-, a, a) *to accommodate,
   put up*
sich unterhalten(ä, ie, a) mit *to talk to
   someone, converse with*
die Unterhaltung(-en) *entertainment,
   conversation*
das Unterhaltungskonzert(-e) *concert of
   light music*
die Unterkunft(∸e) *accommodation*
   unterwegs *on the way*
   untreu *disloyal, unfaithful*
   unwichtig *unimportant*
der Urlaub (*no pl.*) *leave, holiday*

V

der Vater(∸) *father*
   verabreden *to arrange (something with
   someone)*
die Verabredung(-en) *appointment*
sich verabschieden *to say goodbye*
   verbieten(-, o, o) *to forbid*
   verbinden(-, a, u) *to connect, combine*
die Verbindung(-en) *connection*
   verboten *forbidden*
   verbringen(-, a, a) *to spend (time)*
   verdienen *to earn, deserve*
die Vereinigten Staaten *United States*
   vergessen(i, a, e) *to forget*

das Vergnügen *pleasure*
   vergnügt *cheerful(ly)*
der Vergnügungspark(-s *or* -e) *pleasure gardens*
das Vergnügungsviertel(-) *gay part of the town*
   verhaften *to arrest*
die Verhandlung(-en) *negotiation, trial*
   verheiratet *married*
   verhören *to question, cross-examine*
   verkaufen *to sell*
der Verkäufer(-) *shop assistant, salesman*
die Verkäuferin(-nen) *shop assistant, saleswoman*
der Verkehr (*no pl.*) *traffic*
der Verkehrsverein(-e) *tourist office*
das Verkehrszeichen(-) *traffic sign*
   verkleidet *disguised*
   verlangen *to demand*
   verlassen(ä, ie, a) *to leave, abandon*
sich verlaufen(äu, ie, au) *to lose one's way*
   verlieren(-, o, o) *to lose*
der Verlust(-e) *loss*
   vermieten *to let, hire out*
   vernehmen(i, a, o) *to question, interrogate*
   verpacken *to pack (goods)*
   verpassen *to miss (train, etc.)*
  *verreisen *to go away, go on a journey*
   verrückt *mad, crazy*
   verschieden *different, various*
   verschlafen(ä, ie, a) *to oversleep*
   verschreiben(-, ie, ie) *to prescribe*
   verschwenderisch *extravagant*
  *verschwinden(-, a, u) *to disappear*
   versichern *to insure*
   versprechen(i, a, o) *to promise*
das Versprechen(-) *promise*
der Verstand (*no pl.*) *intelligence, common sense*
das Verständnis *understanding*
   verstehen(-, a, a) *to understand*
   versuchen *to try, attempt*
   vertreiben(-, ie, ie) *to drive out*
   vertreten(i, a, e) *to represent*
   verwarnen *to caution*
   Verzeihung! *pardon!, sorry!*
   viel *much, a lot of*
   vielleicht *perhaps*
   vier *four*
das Viertel(-) *quarter, part of town*
die Viertelstunde(-n) *quarter of an hour*
   vierzehn *fourteen*
der Vogel(⸚) *bird*
der Vogelfänger(-) *bird catcher*
   voll *full*
   von *from, of*
   vor *in front of, before, ago*
   vorbei *over, past*
  *vorbei|kommen(-, a, o) *to pass, go by*
   vor|bereiten *to prepare*
die Vorfahrt (*no pl.*) *right of way*
   vor|haben *to intend, plan*
   vorher *earlier, beforehand*
   vorhin *just now, a short while ago*
  *vor|kommen(-, a, o) *to happen, seem*
   vor|lesen(ie, a, e) *to read aloud*
der Vorname(-n) *Christian name*

der Vorschlag(⸚e) *suggestion*
   vor|schlagen(ä, u, a) *to suggest*
die Vorschrift(-en) *regulation*
   vorschriftsmäßig *according to regulations*
   Vorsicht! *careful!, look out!*
der Vorsitzende(-n) *chairman, presiding magistrate*
die Vorspeise(-n) *hors-d'oeuvre*
   vor|stellen *to introduce*
sich vor|stellen *to imagine*
die Vorstellung(-en) *performance*

W

   wach *awake*
der Wachtmeister(-) *police sergeant, constable*
der Wagen(-) *car, carriage, float*
   wahr *true*
   während *during, while*
   wahrscheinlich *probable, probably*
der Wald(⸚er) *wood, forest*
der Waldweg(-e) *forest path*
die Wand(⸚e) *wall*
  *wandern *to walk, hike*
die Wanderschaft (*no pl.*) *wanderings, travels*
   wann *when*
die Waren (*pl.*) *goods*
das Warenlager(-) *warehouse*
   warm *warm*
die Wärmflasche(-n) *hot-water bottle*
   warten *to wait*
   warum *why*
   was *what*
   was (*short for* etwas) *something*
   was für *what sort of*
die Wäsche *laundry, washing*
(sich) waschen(ä, u, a) *to wash*
die Wäscherei(-en) *laundry*
der Wäschezettel(-) *laundry list*
das Wasser(-) *water*
   wechseln *to change, exchange*
   wecken *to wake*
   weg *away*
der Weg(-e) *way, path*
   wegen *because of*
  *weg|fahren(ä, u, a) *to drive off*
  *weg|gehen(-, i, a) *to go away*
   weg|nehmen(i, a, o) *to take away*
   weh tun(-, a, a) *to hurt*
das Weib(-er) *woman, wife (archaic)*
   weil *because*
der Wein(-e) *wine*
das Weinfaß(⸚sser) *wine-barrel*
die Weinkarte(-n) *wine-list*
die Weinstube(-n) *public house (chiefly for wine drinking)*
   weisen(-, ie, ie) *to show, indicate*
   weiß *white*
das Weißbier *type of beer*
der Weißwein *white wine*
die Weißwurst(⸚e) *type of boiled sausage*
   weit *far*
   weiter *further*
   weiter|erzählen *to tell others*
  *weiter|fahren(ä, u, a) *to travel further, continue*

weiter|geben(i, a, e) *to hand on*
*weiter|gehen(–, i, a) *to go on, go further*
weiter|trinken(–, a, u) *to go on drinking*
welcher *which*
die Welt *world*
wenig *little, few*
wenn *if, when, whenever*
wer *who*
*werden(i, u, o) *to become, get*
werfen(i, a, o) *to throw*
wert *worth*
der Werwolf(⸚e) *Werewolf*
wessen *whose*
das Wetter (*no pl.*) *weather*
die Wettervorhersage(–n) *weather forecast*
wichtig *important*
wie *how, as*
wieder *again*
wiederholen *to repeat*
auf Wiederhören! *goodbye (on telephone or radio)*
wieder|sehen(ie, a, e) *to see again, meet again*
auf Wiedersehen! *goodbye*
wiegen(–, o, o) *to weigh*
Wien *Vienna*
Wiener *Viennese*
wieso *how is it that . . .*
wieviel *how much*
willkommen *welcome*
der Winter(–) *winter*
wirklich *real(ly)*
die Wirklichkeit *reality*
wissen(ei, u, u) *to know*
der Witz(–e) *joke*
wo *where*
die Woche(–n) *week*
wofür *what for*
woher *where from*
wohin *where to*
wohl *well, probably*
das Wohl (*no pl.*) *well-being, welfare*
zum Wohl! *your health, cheers!*
wohnen *to live, dwell*
die Wohnung(–en) *flat*
die Wolke(–n) *cloud*
wollen(i, o, o) *to want, be willing to*
womit *what with*
das Wort(–e *or* ⸚er) *word*
worum *about what*
wunderbar *wonderful*
wünschen *to wish*
die Wurst(⸚e) *sausage*
die Wurstfabrik(–en) *sausage factory*

Z

die Zahl(–en) *number, figure*
zahlen *to pay*
der Zahn(⸚e) *tooth*
zärtlich *tender(ly)*
die Zauberflöte *Magic Flute*
zehn *ten*
das Zeichen(–) *sign*
zeigen *to show*
die Zeit(–en) *time*

die Zeitung(–en) *newspaper*
das ⎫
der ⎭ Zentimeter(–) *centimetre*
zentral *central*
zerbrechen(i, a, o) *to break, rack*
der Zeuge(–n *w.*) *witness*
die Zeugin(–nen) (*woman*) *witness*
*ziehen(–, o, o) *to go, march; pull*
ziemlich *rather, quite*
die Zigarette(–n) *cigarette*
der Zigeuner(–) *gipsy*
die Zigeunerin(–nen) *gipsy girl*
die Zigeunermusik *gipsy music*
das Zimmer(–) *room*
der Zoo(–s) *zoo*
zu *to, at, for, on; too*
der Zucker (*no pl.*) *sugar*
zu|drücken *to shut*
zuerst *at first*
der Zufall(⸚e) *chance, coincidence*
zufällig *by chance*
zufrieden *satisfied*
die Zufriedenheit (*no pl.*) *satisfaction*
der Zug(⸚e) *train*
die Zugbar(–s) *train bar*
zu|greifen(–, i, i) *to help oneself (at meals)*
die Zugsekretärin(–nen) *train secretary*
zu|hören(+ *dat.*) *to listen to*
der Zuhörer(–) *listener, member of audience*
die Zuhörergalerie(–n) *visitors' gallery*
*zu|kommen(–, a, o) auf (+ *acc.*) *to come up to*
die Zukunft (*no pl.*) *future*
zuletzt *at last, finally*
die Zündkerze(–n) *sparking-plug*
der Zungenbrecher(–) *tongue-twister*
sich zurecht|machen *to make up*
zurück *back*
zurück|bekommen(–, a, o) *to receive back*
*zurück|fahren(ä, u, a) *to drive back, travel back*
*zurück|gehen(–, i, a) *to go back*
*zurück|kommen(–, a, o) *to return, come back*
zurück|schicken *to send back*
zusammen *together*
*zusammen|brechen(i, a, o) *to collapse, break down*
zu|sehen(ie, a, e) *to watch, see to*
der Zustand(⸚e) *condition*
zuverlässig *reliable*
zuviel *too much*
zwanzig *twenty*
der Zwanzigmarkschein(–e) *twenty-mark note*
zwei *two*
zweieinhalb *two-and-a-half*
zweihundert *two hundred*
zweimal *twice*
zweite *second*
zweitens *secondly*
die Zwiebel(–n) *onion*
zwischen *between*
zwölf *twelve*

Pronunciation practice records.....

To help listeners studying a foreign language to improve their pronunciation, four long-playing practice records—German, French, Italian and Russian—are available. Each gives the basic rules of pronunciation, with illustrations by native speakers. A useful leaflet of these notes accompanies each record. *(33⅓ r.p.m. 7". Designed for use with light-weight pick-up)*

German Pronunciation Practice ⎫
French Pronunciation Practice ⎬ **5s. 0d.** each
Italian Pronunciation Practice ⎭ plus 9d. for inland postage and packing

Russian Pronunciation Practice
3s. 0d. plus 9d. for inland postage and packing

Obtainable through usual channels or direct from
BBC PUBLICATIONS, P.O. BOX 123, LONDON, W.1

OTHER PUBLICATIONS CONNECTED WITH LANGUAGE COURSES ON BBC RADIO

Starting French

For use with the Third Network series broadcast October 1965–July 1966.

Booklet–contains texts, grammar, vocabularies and notes for use with a series of forty lessons for beginners.

5s 0d (plus 9d postage and packing)

Record 1 (12 in. L.P.) Basic dialogue of lessons 1–8

Record 2 (12 in. L.P.) Basic dialogue of lessons 9–20

Record 3 (12 in. L.P.) Basic dialogue of lessons 21–30

Record 4 (12 in. L.P.) Basic dialogue of lessons 31–40

17s 6d each (*plus* 2s *postage and packing*)

This series was previously broadcast between September 1964 and July 1965.

Talking Italian

For use with the Third Network series broadcast October 1965–February 1966.

A progressive course for listeners with some knowledge of Italian who wish to become more proficient in the spoken language.

Booklet: An essential part of the lessons, containing texts of broadcast conversations, grammatical notes and vocabularies.

3s 6d (*plus* 9d *postage and packing*)

Record 1 (12 in. L.P.) Basic dialogue of lessons 1–10

Record 2 (12 in. L.P.) Basic dialogue of lessons 11–20

17s 6d each (*plus* 2s *postage and packing*)

This series was previously broadcast between September 1964 and February 1965.

¡Oigan Señores!

For use with the Third Network series broadcast October 1965–February 1966.

A new course of twenty lessons for listeners who wish to improve their knowledge of spoken Spanish. A follow-up course to the 1964/5 series *Spanish for Beginners*.

Booklet–An essential part of the lessons, containing texts of broadcast conversations, grammatical notes and vocabularies.

5s 0d (*plus* 9d *postage and packing*)

Order from your bookseller or direct from

BBC PUBLICATIONS · P.O. BOX 123 · LONDON W.1